Adult French Course

Study Supplement

Adult French Course

Student's Book
with set of 7 tapes/cassettes

Study Supplement
with cassette

Adult French Course
Study Supplement

based on the methods of the
Ealing Courses in German and Spanish

Anny King

Lecturer in French
Hertfordshire College of Higher Education

Longman

LONGMAN GROUP LIMITED
London
*Associated companies, branches and representatives
throughout the world.*

First published 1979
ISBN 0 582 33132.3

Set in 10 on 11pt Baskerville, Monophoto 169

Printed in Great Britain
by Spottiswoode Ballantyne Ltd, Colchester.

Acknowledgements

The authors and the publishers are grateful to
the following people for their help and advice
during the development of the course:

Janet Cropper, World Trade Centre
C. Huntley, St. Alban's College of Further Education
Jacqueline Johnston, Leeds Polytechnic
Richard Leeson, Ealing College of Higher Education
Ron Overy, Polytechnic of the South Bank
Brian Page, Leeds University
Dennis Player, Thames Polytechnic
John White, Wolverhampton Polytechnic
M. J. Winterburn, Ealing College of Higher Education

and to the many students who good-naturedly allowed
themselves to be used as guinea-pigs.

The authors are specially grateful to John Brown, Cranfield
Institute of Technology, for his support and encouragement,
and to Rosemary Davidson and Philippa Whitbread of Longman
for their great help and sympathetic support through the
trials and tribulations of writing.

We are grateful to the following for permission to reproduce cover
photographs:

Le Figaro, below right; Rapho, above right, photo J. M. Charles
and below left, photo C. Berretty; SIRP Secrétariat d'Etat aux
Postes et Télécommunications, Paris, above left; Topham/IPA,
below centre.

We are grateful to the following for permission to reproduce
copyright material:

Editions Gallimard for the poem 'Le Message' by Jacques Prévert
from *Paroles*.

Contents

page

viii **How to use this Study Supplement**

How to use this Study Supplement

One of the difficulties of learning a language is to keep up the momentum, and to avoid the 'one step backwards for every two steps forward' syndrome which is often occasioned by weekly or even twice-weekly classes.

This Supplement (with its accompanying cassette) has been produced to help you revise and consolidate in between classes. The material is on the one hand carefully paced to keep step with your progress in the Student's Book of the course and closely integrated with it, and on the other hand is intended to give you some change of activities in your mode of study. All exercises (except *Extra*) are self-checking, in that the correct responses may be heard on the accompanying cassette, and answers are printed at the back of the book (as are the listening comprehension texts).

For each unit of the Student's Book there is a corresponding section of the Supplement (3–4 pages) and of the cassette (4–5 minutes). They consist of the following:

1. Three or four *written exercises*.

2. Two *oral exercises* (cued on the cassette).

3. *Recap* – An exercise in re-telling the action of the Dialogue (of Units 1–7), or part of it, in a narrative form, stimulated by selected pictures from the Student's Book.

4. *Listening Practice* – A recorded text, such as a short dialogue or an airport announcement, on which you test your comprehension by answering a series of short multiple choice questions in French or English.

5. *Reading Practice* – A printed text (maybe a straight passage, an advertisement, a menu or a series of signs), on which you are encouraged to develop your powers of intelligent guessing by a series of multiple choice questions in French or English.

6. *Extra* – A more demanding, open-ended written exercise, sometimes going beyond the material of the relevant units.

It is suggested that the Supplement can be used as follows:

1. After the class session, which will have probably involved a good deal of oral work and possibly work with a tape, read through once again the Dialogue and the Expansion in the Student's Book, as these contain the 'core' of the new material in the unit.

2. Look up any doubtful items of vocabulary in the Vocabulary at the back of the Student's Book and, if you feel uncertain about any points of grammar, check them through in the Explanations.

3. Now turn to the Supplement. You can approach the work in a number of different ways:

   (i) You can simply work your way through all the extra material for a unit, finding some no doubt pleasantly familiar and easy, and some more taxing.

   (ii) If you want an immediate change from oral work, you can go straight to the written exercises, which will give you further practice in what you have just been doing but in a different way, or to the Reading Practice, which will help you to tackle texts where not all of the vocabulary will be known to you.

(iii) Having previously found the points of grammar where you feel uncertain, you can turn to those exercises which give extra practice in them (identifiable by the paragraph reference number) – using the Supplement as a source of remedial work.

(iv) If you want to step up your capacity for listening comprehension, you can use the cassette alone, or in conjunction with the questions in the Supplement.

Note on the cassette

Please note that although the pause for the responses to the recorded oral drills has been timed, you may find that the first time you practise a drill, the gap for the reply isn't long enough. In this case, simply use the pause button on your cassette recorder.

Au bureau Aviagence   1

Exercise 1 (le/la §1.1)

Complete the following sentences with *le/la/l'* as appropriate.

1. Mlle Lebret, c'est ... secrétaire.
2. M. Melville, c'est ... sous-chef des ventes.
3. M. Morel, c'est ... sous-chef des achats.
4. M. Sériex, c'est ... client.
5. Mlle Dubois, c'est ... téléphoniste.
6. M. Leboeuf, c'est ... expert-comptable.
7. Mme Leroy, c'est ... secrétaire de direction.
8. M. Saville, c'est ... PDG.

Exercise 2 (c'est ... §1.4)

Look at the pictures and answer in writing as follows.

Exemple: a. C'est Victor Melville.
             b. C'est le sous-chef des ventes.

   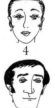

1   2   3   4

5   6   7   8

1. a. C'est ...   5. a. ....
   b. ....   b. ....
2. a. ....   6. a. ....
   b. ....   b. ....
3. a. ....   7. a. ....
   b. ....   b. ....
4. a. ....   8. a. ....
   b. ....   b. ....

Exercise 3 (c'est ... §1.4)

Imagine you're talking to a French visitor to whom you've just been introducing people.

Ecoutez: Mlle Lebret, c'est la secrétaire, n'est-ce pas?
Répondez: Oui, c'est la secrétaire.

1. Mlle Lebret, c'est la secrétaire, n'est-ce pas?
2. Mlle Dubois, c'est la téléphoniste, n'est-ce pas?
3. M. Sériex, c'est le client, n'est-ce pas?
4. M. Morel, c'est le sous-chef des achats, n'est-ce pas?
5. M. Leboeuf, c'est l'expert-comptable, n'est-ce pas?
6. M. Melville, c'est le sous-chef des ventes, n'est-ce pas?

Exercise 4

Imagine you're welcoming French visitors to Britain.

Ecoutez: C'est M. Melville.
Répondez: Je vous souhaite la bienvenue, M. Melville!

1. C'est M. Melville.   4. C'est Mlle Dubois.
2. C'est M. Sériex.   5. C'est M. Leboeuf.
3. C'est Mlle Lebret.   6. C'est M. Morel.

Recap

Look at the pictures below. Choose the correct answer corresponding to each picture.

What does Victor hear?
a. Asseyez-vous!
b. Entrez!
c. Comment allez-vous?

What does Victor say?
a. Enchanté, Mademoiselle!
b. Merci, Mademoiselle.
c. Bonjour, Mademoiselle.

How does Victor say he is from London?
a. Je suis de Londres.
b. Je suis à Londres.
c. Je suis de la Cie Filturbo.

What does Victor answer to M. Morel greeting him?
a. Comment allez-vous?
b. Enchanté!
c. Très bien merci, et vous?

What does Victor say to M. Sériex to whom he is
   being introduced?
a. Comment allez-vous, Monsieur?
b. Enchanté, Monsieur!
c. Salut, Monsieur!

How does Victor ask M. Sériex whether he is from
   Toulouse?
a. Et vous, vous êtes à Toulouse, n'est-ce pas?
b. Et vous, vous êtes de la Cie Sériex à Toulouse,
   n'est-ce pas?
c. Et vous, vous êtes de Toulouse, n'est-ce pas?

Listening practice

The situation in the dialogue that you are going to listen to is the same as in the Expansion – but the characters are different and there are some extra words and phrases. You should already know all the words and phrases necessary to answer the questions.

David Norton is being introduced to the staff of a French company. His French colleague, Michel Lépissier, takes him round the different departments.

A. First listen carefully to the dialogue.

B. Now choose the right answer.

1. Who is Mlle Rude?
a. The telephonist.
b. The secretary.

2. Who is Jean-Paul Chabrier?
a. The chief-buyer.
b. The sales manager.

3. Where is David Norton from?
a. Coventry.
b. Birmingham.

4. What is the name of the telephonist?
a. Marie-Anne.
b. Marie-Claire.

5. What is the name of the accountant?
a. Paul.
b. Pierre.

6. What does he say?
a. Je vous souhaite la bienvenue à Toulouse!
b. Je vous souhaite la bienvenue à Lyon!

C. And now write down the French for:

1. The secretary.
2. The telephonist.
3. The accountant.

4. The sales manager.
5. May I introduce you to . . .
6. Welcome!

Extra

Finding out about people. Pick the right response for each opening sentence or question. (The responses are in the right-hand column.)

1. Je vous présente Mme Lenoir.
2. Voici notre chef des ventes, M. Trépas.
3. Et voilà Michel, notre agent à Londres. Vous connaissez Michel, n'est-ce pas?
4. Qui est cette jeune femme?
5. M. Lepic, c'est bien le contremaître, n'est-ce pas?
6. Voilà Jean, notre sous-chef des ventes.
7. Et enfin, je vous présente M. Beau, notre PDG.

a. Non, c'est le sous-chef des achats.
b. Salut Michel, comment vas-tu?
c. Enchanté de faire votre connaissance, M. Beau!
d. Enchanté, Madame!
e. Enchanté, Monsieur!
f. C'est la secrétaire du PDG.
g. Ravi de vous revoir, Jean!

Au bistro

Exercise 1 (un/une §2.4)

Fill in the gaps with *un* or *une*, as appropriate.

Garçon! Je voudrais . . . . . . limonade. Et pour moi . . . . . . café bien fort, s'il vous plaît. Vous fumez? . . . . . . cigarette? C'est vrai, vous avez . . . . . . bistro tout près de chez vous? C'est pratique ça! Pardon? . . . . . . cigare? Non, je suis désolé, je n'en ai pas! Autre chose? Garçon! . . . . . . bière et . . . . . . whisky, s'il vous plaît.

Exercise 2 (agreement of adjectives §2.5)

Choose the right word from the right-hand column. Careful, it must make sense!

1. La bière anglaise est . . . . . .   a. blondes
2. La bière française est . . . . . .   b. fort
3. Le tabac brun est . . . . . .   c. brune
4. Les cigarettes anglaises sont . . . . . .   d. blonde
5. Le tabac blond est . . . . . .   e. léger
6. Les cigarettes françaises sont . . . . . .   f. brunes

Recap

Look at the pictures. Then complete the sentences.

Mme Melville est . . . . . .

Mme Melville parle aussi . . . . .

Jacques dit: 'Qu'est-ce que . . . . . .
Victor dit: 'Je . . . . . .'

Jacques dit: 'Garçon! . . . . . .'

 Jacques fume . . . . . .

 Jacques préfère les cigarettes . . . . . . parce que le tabac brun . . . . . .

 Le garçon dit: 'Deux bières . . . . . .'

 Victor travaille . . . . . . et . . . . . . à Wembley.

Exercise 3 (un/une §2.4)

Make up sensible sentences out of the 'skeletons'.

A. Exemple: Jacques – cigare – anisette.
    Jacques fume un cigare et boit une anisette.

 1. Jacques – cigare – bière.
 2. Mireille – cigarette – muscat.
 3. Victor – cigarette anglaise – orange pressée.

B. Exemple: M. Sériex – porto(✗)/bière(✓)
    M. Sériex préfère la bière.

 1. Mlle Lebret – whisky(✗)/porto(✓)
 2. M. Saville – thé(✗)/café(✓)
 3. M. Leboeuf – cigarette(✗)/cigare(✓)

◐ **Exercise 4 (present tense §2.1)**

Reply to the suggestions using the cues in brackets.

Ecoutez: Vous prenez une bière? (*Cinzano*)
Répondez: Non, je prends un Cinzano.

1. Vous prenez une bière?   (*Cinzano*)
2. Vous prenez un Cinzano?   (*whisky*)
3. Vous prenez une menthe?   (*coca-cola*)
4. Vous prenez un café?   (*thé*)
5. Vous prenez un Martini?   (*Pernod*)
6. Vous prenez un gin?   (*limonade*)

◐ **Exercise 5 (agreement of adjectives §2.5)**

Ecoutez: Vous préférez le tabac blond ou le tabac brun?
Répondez: Je préfère le tabac brun.

1. Vous préférez le tabac blond ou le tabac brun?
2. Vous préférez la bière brune ou la bière blonde?
3. Vous préférez le tabac léger ou le tabac fort?
4. Vous préférez la bière forte ou la bière légère?
5. Vous préférez les cigarettes françaises ou les cigarettes anglaises?
6. Vous préférez le café fort ou le café léger?

◐ Listening practice

Another similar social situation: an unexpected meeting of two friends who have a drink together.

A. Listen carefully to the dialogue.

Two friends meet unexpectedly in the Café '*Le Chien qui Fume*' on the Boulevard St. Germain.

B. And now see if you have understood it.

1. Who does Philippe meet in the café '*Le Chien qui Fume*'?
   a. His friend Michel.
   b. His friend Michèle.

2. Whose local café is '*Le Chien qui Fume*'?
   a. Michel's.
   b. Philippe's.

3. Who buys the drinks?
   a. Michel.
   b. Philippe.

4. What does Philippe have?
   a. A whisky and soda.
   b. A straight whisky.

5. What does Michel have?
   a. A whisky with ice.
   b. A whisky with water.

6. Where does Michel live?
   a. In Paris.
   b. Somewhere else.

7. When is Michel leaving?
   a. Tomorrow.
   b. Today.

8. What does Philippe invite his friend for next time they meet?
   a. For lunch.
   b. For dinner.

C. Fill in the gaps by choosing the right phrase or word from this list:

des glaçons/un whisky/un whisky pur/le café habituel/la prochaine fois/invite.

Michel et Philippe sont au '*Chien qui Fume*'.
C'est . . . . . . de Philippe.
Michel prend . . . . . . avec . . . . . .
Philippe prend . . . . . .
Philippe . . . . . . Michel à déjeuner . . . . . . au bistro.

D. 1. When you meet someone
unexpectedly, what do you say?
a. Avec plaisir!
b. Quelle surprise!

2. When you ask a friend what he'd
like to drink, what do you say?
a. Qu'est-ce que tu prends?
b. Qu'est-ce que tu fais?

3. When you want to stand someone
a drink 'next time', what do you
say?
a. Je t'invite la prochaine fois.
b. Je t'invite maintenant.

4. When you want a 'straight' drink,
what do you say?
a. Sans rien.
b. Ensemble.

Reading practice

Here is an extract from the *Tarif* in a café. See how much of it you can puzzle out.

Choose the correct answer. Use a dictionary if necessary.

1. What is an *expresso*?
a. Black coffee.
b. Coffee with milk.

2. If you wanted a decaffeinated coffee,
what would you ask for?
a. Expresso maison.
b. Expresso maison décaféiné.

3. If you wanted a coffee with milk, what
would you ask for?
a. Expresso maison.
b. Expresso crème.

4. If you wanted a double coffee with
milk, what would you ask for?
a. Double expresso décaféiné.
b. Double expresso crème.

5. If you wanted a hot chocolate, what
would you ask for?
a. Chocolat viennois.
b. Chocolat chaud.

6. If you wanted English tea, what
would you ask for?
a. Thé – infusion avec lait.
b. Thé de Chine.

L'HEURE DU THÉ

Expresso maison	2,50
Double expresso maison	4,00
Expresso maison décaféiné	2,70
Double expresso décaféiné	4,50
Expresso crème	3,00
Double expresso crème	4,00
Expresso décaféiné crème	3,20
Expresso décaféiné crème double	4,50
Chocolat chaud	3,20
Grand chocolat chaud	4,00
Capuccino	4,00
Café frappé	3,50
Café glacé	3,50
Café viennois	4,50
Chocolat viennois	4,50
Thé – Infusions	4,00
(avec lait ou citron)	
Thé de Chine	4,20

A l'appartement

Exercise 1 (mon/ma §3.2)

Complete the sentences, using the cues in brackets.

Exemple : (*voiture*)   Voilà une voiture.
                      C'est ma voiture.

1. (*serviette*) Voilà . . . . . .
               C'est . . . . . .
2. (*cigarette*) Voilà . . . . . .
               C'est . . . . . .
3. (*manteau*) Voilà . . . . . .
               C'est . . . . . .
4. (*clef*) Voilà . . . . . .
               C'est . . . . . .
5. (*maison*) Voilà . . . . . .
               C'est . . . . . .
6. (*cigare*) Voilà . . . . . .
               C'est . . . . . .

Exercise 2 (avoir §3.6)

Complete the sentences, using the cues in brackets.

Exemple : (*voiture*)   Il a une voiture.

1. (*maison*) Il . . . . . .
2. (*fille*) Elle . . . . . .
3. (*enfants*) Ils . . . . . .
4. (*voiture*) Vous . . . . . .
5. (*fils*) Nous . . . . . .
6. (*bistro*) Je . . . . . .

Exercise 3 (agreement of adjectives §2.5)

Choose the right word from the right-hand column, and write out the sentences.

1. J'aime les cigarettes . . . . . .   a. anglais
2. Il aime le vin . . . . . .   b. fort
3. Elle aime la bière . . . . . .   c. français
4. Vous aimez les cigares . . . . . .   d. américaines
5. Tu aimes le tabac . . . . . .   e. blonde
6. J'aime le thé . . . . . .   f. chers

Recap

With the help of the pictures, give an account of Victor's visit to the Morels.

Jacques cherche . . . . . .
Jacques et Victor . . . . . . en retard.

Jacques et Mireille . . . . . . toujours . . . . . .

Jacques dit: 'M. Victor Melville . . . . . . Londres.'
Victor, voici . . . . . . Mireille.

Victor dit: 'Un Ricard, ...?'
Jacques dit: '. . . . . . anisette.'
Victor dit: '. . . . . . un Cinzano.'

Victor dit: '. . . . . . sur l'alcool est . . . . . .'

Victor dit: '. . . . . . trois . . . . . ., ... fils et . . . . . .'

Victor dit: '. . . . . . deux filles . . . . . ., mais . . . . . .
fils . . . . . . déjà . . . . . .'

Victor dit: 'Mme Melville travaille . . . . . .'

Exercise 4

Draw a plan of your own flat or house, and label it in French.

⊛ **Exercise 5 (au/à la/à l' §3.3)**

Ecoutez: Où est-ce que vous êtes? (*appartement*)
Répondez: Je suis à l'appartement.

1. Où est-ce que vous êtes? (*appartement*)
2. Où est-ce qu'ils vont? (*bureau*)
3. Où est-ce qu'elle est? (*maison*)
4. Où est-ce que tu es? (*bistro*)
5. Où est-ce qu'elles vont? (*lycée*)
6. Où est-ce que nous sommes? (*hôtel*)

⊛ **Exercise 6 (avoir §3.6)**

Ecoutez: Qu'est-ce que vous avez, une maison ou un appartement?
Répondez: J'ai un appartement.

1. Qu'est-ce que vous avez, une maison ou un appartement?
2. Qu'est-ce qu'il a, une voiture ou une bicyclette?
3. Qu'est-ce qu'elle a, un fils ou une fille?
4. Qu'est-ce que tu as, deux chambres ou trois chambres?
5. Qu'est-ce qu'ils ont, une salle de bains ou une salle d'eau?

Reading practice

Here are three descriptions of different people looking for flats in Paris. Read them carefully, then look at the ads given below.

A. 1. Marc a une femme, Antoinette et trois enfants. Il est garçon de café à St. Michel. Il gagne 2.500F par mois (*earns . . . a month*). Antoinette est secrétaire à la Société Rien-Ne-Va-Plus, rue Vaugirard. Elle gagne 1.800F par mois. Ils cherchent un appartement au Quartier Latin.

2. Jean-Marie est étudiant (*student*) à la Sorbonne. Il est célibataire. Il travaille à mi-temps au bureau de la Société Banqueroute à St. Germain. Il gagne 1.000F par mois. Il cherche un studio au Quartier Latin.

3. Danielle est professeur d'anglais au lycée La Fontaine. Elle gagne 3.000F par mois. Olivier, le fiancé de Danielle, est le chef des achats à la Cie Tout-Nylon aux Champs-Elysées. Il gagne 4.500F par mois. Ils cherchent un appartement près de la Porte de St Cloud.

Quartier Latin – Reft nf. 4 p. cuis. s. de b. 5ème ét. px: 1000F + ch. – 337.69.95	16ème – Neuf lux. Soleil, tél. 4 pces 1000m² 2450F + ch. 344.59.73
St. Cloud – lm. nf 3 p. cuis. équip. s. de b., w.c., ch. centr., tél., moqu. parking 3ème ét., asc. px: 1800F + ch. 747.55.00	St Germain – Stud. s. d'eau pte cuis. 6ème ét. px: 300F c.c.
Pte d'Orléans – 3 p. cuis. bns. w.c. tél. 1550F – 577.21.21	St Cloud – 4 p. ref. nf, cuis. s. d'eau, tél. 3ème ét. Px: 2400F c.c. 747.68.92

B. Which flat would the different characters given above choose? Give (in English) at least two reasons for your choice.

C. And now write a full version of the ads in French and then translate them into English.

D. Now write the French for:

1. A waiter.
2. To look for.
3. A flat.
4. A student.
5. A bachelor.

6. A bachelor flat.
7. He works part-time.
8. She is an English teacher.
9. He works for the Company B.
10. She earns 2.000F per month.

Extra

Reading practice

The first course at the Morels' lunch was soup (as it often is in French households). Here is a recipe for a popular French soup.

A. Read this recipe carefully.

Vichyssoise

Pour 4 personnes

4 poireaux
3 pommes de terre
50g de beurre
(facultatif: 1 verre de lait
ou 2 cuillerées de crème fraîche)
sel

Lavez les poireaux.
Coupez les poireaux en petits dés.
Mettez le beurre dans une poêle.
Faites revenir (blondir) les poireaux.
Quand ils sont dorés, ajoutez 1 litre $\frac{1}{2}$ d'eau et du sel.
Ajoutez ensuite les pommes de terre épluchées et lavées.
Laissez cuire environ 40 minutes.
Puis passez à la moulinette (ou mélangez la soupe dans un mixeur).
Pour rendre la soupe plus onctueuse, ajoutez 1 verre de lait
ou 2 cuillerées de crème fraîche.
Servez immédiatement ou mettez au réfrigérateur et servez froid.

B. Translate the recipe into English.

C. Give the French words for:

1. To wash.
2. To peel.
3. To cook.
4. To mix.
5. To cut.

6. Potato.
7. Leek.
8. Saucepan.
9. Butter.
10. Salt.

Dans le métro

Exercise 1 (aller §4.7)

Complete the sentences, using the cues in brackets.

Exemple: (*bar*)   Il va au bar.

1. (*Paris*)   Elle ......
2. (*Champs-Elysées*)   Ils ......
3. (*restaurant*)   Je ......
4. (*cinéma*)   Tu ......
5. (*Orly*)   Nous ......
6. (*Opéra*)   Vous ......

Exercise 2 (future: aller+infinitive §4.8)

A. Read Sabine's reminders to herself about what she has to do.

> 1. Téléphoner Londres
> 2. Taper lettre, Cie Sériex
> 3. Acheter billet, Victor
> 4. Payer amende, Jacques
> 5. Réserver table "Chez Jules"
> 6. "Carmen", Opéra, 21.00

B. And now write down in French what she is going to do tomorrow.

1. Demain Sabine ......
2. Puis ......
3. Ensuite ......
4. L'après-midi ......
5. Puis ......
6. Le soir ......

Recap

With the help of the pictures, give an account of what happens to Victor on the métro.

Victor cherche ...... dans ...... poche
de ...... puis dans ......

Victor ...... trouve ......
Il ......

Victor . . . . . . à . . . . . .

Le contrôleur et Victor . . . . . . du chef de station.

Le contrôleur dit: Monsieur voyage en . . . . . .

Le chef de station . . . . . . nom et . . . . . . de Victor.
Victor . . . . . . Buckingham, rue des Mathurins,
dans . . . . . .

Victor n'est pas . . . . . ., il est . . . . . .

Le chef dit: 'Mais . . . . . . la prochaine fois . . . . . .
une amende!'

Exercise 3

The statement gives you the clue as to where Victor is.

Exemple: Victor va à Opéra
        Il est dans le métro.

1. Victor va à Concorde.
2. Victor regarde la télévision.
3. Victor parle avec M. Sériex.

4. Victor mange un steak.
5. Victor boit une bière.
6. Victor visite la Sorbonne.

Exercise 4 (ne ... plus §4.4)

Ecoutez: Il préfère toujours les blondes?
Répondez: Non, il ne préfère plus les blondes.

1. Il préfère toujours les blondes?
2. Ils habitent toujours à Paris?
3. Elle travaille toujours à Aviagence?
4. Vous fumez toujours le cigare?
5. Il boit toujours trop?
6. Tu es encore au lycée?

Exercise 5 (il faut §4.3)

Ecoutez: Descendez à Opéra, ...!
Répondez: Alors, il faut descendre à Opéra.

1. Descendez à Opéra.
2. Changez à Châtelet.
3. Préparez les passeports.
4. Tenez la droite.
5. Achetez un billet.
6. Regardez le plan.

Reading practice

You are on the métro.

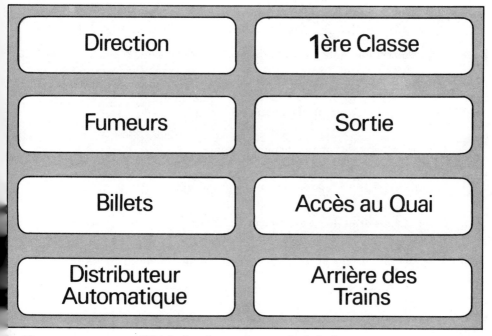

1. You want to get out. Which sign do you have to look for?
2. You need to buy tickets. Which sign do you look for?
3. You need to change lines. Which sign do you follow?
4. You want to get into a smoking compartment. Which sign do you look for?
5. You want a first class carriage. Which sign do you look for?
6. Which sign do you follow to get to the trains?
7. You want to buy some sweets. Which sign do you look for?
8. Which sign tells you where the rear of the train will stop?

Extra

Find out what his/her job is.

A. Read the description of the job and then complete the sentence.

Exemple: 'Je travaille à la poste. Je réponds au téléphone.'
Elle est téléphoniste.

1. 'Je travaille dans un café. J'apporte des boissons aux clients.'
Il est ......

2. 'Je travaille dans un avion. Je m'occupe des passagers.'
Elle est ......

3. 'Je règle la circulation.'
Il est ......

4. 'Je travaille à Orly. Je fouille les bagages des voyageurs.'
Il est ......

5. 'Je travaille aux Galeries Lafayette, au rayon 'Parfumerie'.'
Elle est ......

6. 'Je travaille pour l'hebdomadaire 'Paris-Match'. Je prends des photos.'
Elle est ......

B. Read the description of the jobs and then complete the sentences.

1. 'Je tape à la machine tous les jours. C'est fatiguant!'
Elle est ......

2. 'Je m'occupe de l'hôtel Buckingham. J'aime ça.'
Il est ......

3. 'Je tiens les livres de compte de mon patron.'
Il est ......

4. 'Je dirige trois usines à Lyon. Je voyage beaucoup.'
Il est ......

5. 'Je suis le bras droit de mon directeur. Je m'occupe de tout au bureau.'
Elle est ......

6. 'Je réponds au téléphone tout le jour. C'est fatiguant, mais j'aime ça!'
Elle est ......

Au bureau de poste

Exercise 1 (c'est/ce sont §1.4 & §5.3)

Exemples : Qu'est-ce que c'est?
        C'est une lettre par avion.
        Qu'est-ce que c'est?
        Ce sont des timbres.

Make up sentences, using the above models, with the following nouns:

1. Lettre exprès.
2. Cartes postales.
3. Jeton.
4. Affiches.

5. Télégramme.
6. Livres.
7. Mandat.
8. Stylos.

Recap

With the help of the pictures, give an account of what happens in the post office.

Sabine est . . . . . . pour le moment, parce que . . . . . . collègue . . . . . . en vacances . . . . . . Portugal.

Victor . . . . . . la queue pour . . . . . . timbres pour deux . . . . . . et . . . . . .

Hier, Victor . . . . . . au téléphone . . . . . .

Victor . . . . . . l'usine de M. Sériex . . . . . . Toulouse.

Hier, Victor . . . . . . tard et après il . . . . . . de bon appétit et il . . . . . . bien . . . . . .

L'employée n' . . . . . . plus . . . . . . timbres de collection.

Tout à l'heure, Victor . . . . . . parapluie . . . . . . café, maintenant il . . . . . . serviette . . . . . . poste.

Exercise 2

You are sending a telegram to your French friends, saying that you are arriving at Roissy Airport tomorrow morning at 10.05. Specify flight AF 702.

Exercise 3

Complete the sentences. Choose the right word from the right-hand column.

1. Toulouse, c'est une grande ville . . . . . .
2. J'ai mangé dans un de vos fameux . . . . . . restaurants.
3. Je suis dans la . . . . . . queue, n'est-ce pas?
4. Il a acheteé des timbres . . . . . .
5. C'est un télégramme . . . . . .
6. Allez dans la cabine . . . . . .

a. bonne
b. de collection
c. industrielle
d. petits
e. interurbaine
f. urgent

Extra

Exercise 4

Make a telegram (about 10 words) out of the following message. You can change a word or two as long as it does not change the meaning.

Nous avons eu un accident – La voiture est en panne – Nous prenons le train – Peux-tu venir nous chercher à la Gare d'Austerlitz jeudi 13 à 20h.30.

Baisers – Jean

❷Exercise 5 (ne ... plus de §5.7)

Ecoutez: Est-ce qu'il a une voiture?
Répondez: Non, il n'a plus de voiture.

1. Est-ce qu'il a une voiture?
2. Est-ce qu'elle a un mari?
3. Est-ce qu'ils ont une maison à Toulouse?
4. Est-ce que vous avez un travail?
5. Est-ce qu'elle a des enfants?
6. Est-ce que tu as un jeton?

Exercise 6 (perfect tense §5.5)

Ecoutez: Vous mangez au restaurant ce soir?
Répondez: Non, j'ai mangé au restaurant hier.

1. Vous mangez au restaurant ce soir?
2. Elle travaille ce soir?
3. Il déjeune chez sa mère à midi?
4. Tu téléphones à ta compagnie cet après-midi?
5. Elles fument le cigare pour la première fois?

Exercise 7 (en/au/aux §5.12)

A. Complete the following sentences with *au*, *aux* or *en* as appropriate.

   1. Sabine est en vacances . . . . . . Italie.
   2. Jacques va bientôt aller . . . . . . Irlande.
   3. Ses parents habitent . . . . . . Etats-Unis.
   4. Elle a visité la ville de Porto . . . . . . Portugal.
   5. Je vais aller en vacances . . . . . . Luxembourg.

B. Complete the following sentences with *au* or *en*, as appropriate, and the name of the relevant country.

   1. Caernarvon est . . . . . .
   2. Moscou est . . . . . .
   3. Le Monstre du Lochness est . . . . . .
   4. Guernica est . . . . . .
   5. Ajaccio est . . . . . .

Exercise 1

Make up sentences in French from the following notes.

Exemple: Elle – donner – 2F – garçon de café.
            Elle donne deux francs au garçon de café.

1. Elle – vendre – 2 timbres – téléphoniste
2. Elle – vendre – 5 enveloppes – contremaître
3. Elle – donner – 3 jetons – vieille dame
4. Il – donner – 1 parapluie – enfants
5. Je – vendre – 6 cartes postales – secrétaire

Exercise 2

Victor sends a postcard to Jacques Morel in Paris. Unfortunately the rain has blurred a few words. You are Jacques – try and reconstruct the postcard.

Recap

With the help of the pictures describe Victor's first visit to the Sériex factory.

Victor n'...... jamais ...... les ......
de M. Sériex.

Victor et M. Sériex ...... d'abord ......

 M. Sériex . . . . . M. Tatti, le . . . . . ., ... Victor.

 M. Tatti . . . . . . 'Le Faucon' . . . . . . Victor.

 L'usine Sériex . . . . . . seulement . . . . . . La voilure,
. . . . . . – tout ça . . . . . .

 L'usine Sériex . . . . . . une production de . . . . . .
par an. L'année dernière ils . . . . . . pas mal d'avions
. . . . . . pays arabes.

Exercise 3 (perfect tense §5.4)

Answer, with the help of the cues in brackets, as if you were Victor.

Ecoutez: Victor, vous avez travaillé au bureau? (*usine*)
Répondez: Non, j'ai travaillé à l'usine.

1. Victor, vous avez travaillé au bureau? (*usine*)
2. Et ensuite, vous avez visité les ateliers? (*hangar*)
3. Et puis, vous avez mangé à la cantine? (*restaurant*)
4. Bien sûr, vous avez bu une bière? (*2 bières*)
5. Et le soir vous avez téléphoné à Londres? (*Paris*)

Exercise 4 (future: aller + infinitive §4.8)

And now what is Victor going to do tomorrow? (The cues are the same as in
Ex. 3.)

Ecoutez: Victor, où est-ce que vous allez aller demain? (*usine*)
Répondez: Je vais aller à l'usine.

1. Victor, où est-ce que vous allez aller demain? (*usine*)
2. Et ensuite, qu'est-ce que vous allez visiter? (*hangar*)
3. Et puis, où est-ce que vous allez manger? (*restaurant*)
4. Et qu'est-ce que vous allez boire? (*2 bières*)
5. Le soir, où est-ce que vous allez téléphoner? (*Paris*)

Exercise 5 (possessive adjectives §3.2, §4.2, §6.3)

Complete the following story, using *mon/ma/mes, ton/ta/tes, son/* ... etc, as appropriate:

M. et Mme Durand sont à l'aéroport. M. Durand a trouvé un chariot, alors il met
...... bagages sur le chariot. Mme Durand ne veut pas mettre ...... sac à main
sur le chariot. Quelques minutes plus tard, Mme Durand met ...... manteau sur le
chariot. Ils sont au contrôle des passeports. M. Durand s'affole! Il ne trouve plus
...... passeport! Mme Durand dit: 'Regarde dans ...... portefeuille!' M. Durand
cherche dans ...... portefeuille – pas de passeport! Alors, il cherche dans ......
poche. Ouf! Il trouve enfin ...... passeport!

Ils arrivent maintenant à la douane. Le douanier dit à M. Durand: 'Ouvrez ......
valise, s'il vous plaît.' M. Durand cherche ...... clefs de valise. Il cherche dans
...... poche gauche, dans ...... poche droite, dans ...... veste, dans ......
manteau – rien! Pas de clefs! 'Ernestine, regarde dans ...... poche, s'il te plaît.'
Mme Durand regarde dans ...... poche – rien! Pas de clefs! 'C'est sûrement dans
...... portefeuille!' dit Mme Durand. M. Durand cherche dans ...... portefeuille
et il trouve enfin ...... clefs. Il ouvre ...... valise. Le douanier regarde dans
la valise. Rien. Quelques minutes plus tard M. Durand s'écrie: 'Ouf! il n'a pas trouvé
...... cigarettes!' Mme Durand dit: 'Pas ...... cigarettes, ... cigarettes!'

Ils arrivent enfin à l'hôtel. 'Ce sont ...... bagages? Bien. Alphonse, monte les
bagages!' – 'A quel étage est ...... chambre?' demande M. Durand. '......
chambre est au deuxième étage. C'est la chambre No 6.' Dans la chambre No 6,
Mme Durand, épuisée, dit: 'Chéri, donne-moi ...... serviette, s'il te plaît. Elle est
dans ...... valise.' M. Durand répond: 'Oui, tout de suite!' Il cherche ...... clefs
de valise. Rien! Pas de clefs! '...... clefs! J'ai perdu ...... clefs!' s'écrie-t-il.
Mme Durand hausse les épaules et dit: 'Du calme! Du calme! Tu as mis ......
clefs dans la poche gauche de ...... veste.' M. Durand cherche dans la poche
gauche de ...... veste et dit: 'Ouf! C'est vrai. Mon Dieu, quelles émotions! – Non,
non, ça ne marche pas! Ce ne sont pas les bonnes clefs! Zut, alors! Le douanier ne m'a
pas rendu ...... clefs!'

Listening practice

Airport announcements are notoriously difficult to hear, particularly when they are in a foreign language – so here is some practice for you.

A. Listen carefully to the airport announcement.

B. Did you understand what it was about?

1. What flight is it?
   a. Flight AF 506.
   b. Flight AF 507.

2. Is the flight
   a. Coming from Rome?
   b. Going to Rome?

3. Where were the passengers first requested to go?
   a. To passport control.
   b. To the customs.

4. Where were they then requested to go?
   a. To the luggage collection point.
   b. To the customs.

5. What was the boarding gate?
   a. Gate No 15.
   b. Gate No 5.

C. And now write down the French for:

1. Passport control.
2. A flight.
3. A passenger.
4. The flight to Rome.
5. Customs.
6. Immediate boarding.

Extra

Listening practice

A. And now listen carefully to this second airport announcement.

B. Choose the right answer.

1. What happened to the flight?
   a. It was postponed.
   b. It was cancelled.
   c. It was delayed.

2. What was this due to?
   a. Bad weather conditions.
   b. A strike.
   c. A mechanical failure.

3. Which were the flights concerned?
   a. BA 812 or BA 802
   b. AF 806 or AF 808
   c. AF 230 or AF 203

4. Who are asked to go to the information desk?
   a. The English passengers only.
   b. All the passengers.
   c. The transit passengers only.

5. How will they get a room for the night?
   a. They will have to pay for a room.
   b. They will get the room free.
   c. They will have to look for a room.

C. And now write down the French for:

1. To cancel.
2. Information desk.
3. For the night.
4. Plane ticket.

A l'hôtel

Exercise 1 (future §7.1)

A. First read Victor's diary carefully.

1. bureau 8h	3. usine 14 h	5. rendez-vous Jacques
2. restaurant 12 h	4. Londres 16 h	6. billets - théâtre

B. And now, using his notes for information, write down in French what he will do tomorrow.

1. Demain matin Victor . . . . . . (*être*)
2. A midi . . . . . . (*manger*)
3. Après déjeuner . . . . . . (*retourner*)
4. Puis . . . . . . (*téléphoner*)
5. Ensuite . . . . . . (*prendre*)
6. Et enfin le soir . . . . . . (*acheter*)

Exercise 2

In Toulouse Victor writes a thank-you note to Jacques and Mireille Morel. Help him get the verbs right.

Chers Mireille et Jacques,

Je vous (*remercier*) pour votre excellent déjeuner. Je (*trouver*) votre appartement très agréable. Hier je (*dîner*) chez les Sériex. Je (*faire connaissance de*) Mme Sériex et Mlle Sériex. Elles (*être*) charmantes. Tout à l'heure je (*aller*) à l'usine de M. Sériex. Demain nous (*visiter*) la foire de Paris. Je vous (*téléphoner*) pour annoncer mon retour dès que je (*avoir*) mon billet. Encore une fois merci pour votre hospitalité.

> Amicalement
> Victor

Exercise 3

A. Write to reserve a hotel room for two for ten days. Specify the dates (10–20 May). Ask for the price.

B. Here is the answer.

> Paris le 25 avril 19 . .

Monsieur,

Je vous remercie de votre lettre du 20 avril. Malheureusement nous sommes au complet du 10 au 20 mai. Si vous pouvez venir avant le 10 et partir avant le 20, je pourrai vous réserver une chambre avec salle de bain (35F) ou avec douche (28F). Le petit déjeuner est en sus – 6F par personne.

Pour une réservation ferme, il est préférable de nous verser des arrhes (10%).

Dans l'attente de vous lire très bientôt, veuillez agréer, cher Monsieur, mes sentiments les meilleurs.

> M. Le Jeune

C. And now write back proposing other dates (8–18 May). Choose the room with the shower. Thank the *patron* for his quick reply. Tell him that you have just sent the *arrhes* by postal order.

Recap

With the help of the pictures, describe Victor's arrival at his hotel.

La patronne . . . . . . dans . . . . . . registre.
Elle ne . . . . . . pas . . . . . . nom de Victor.

Victor . . . . . . la chambre . . . . . . hier matin
. . . . . . Paris.

La patronne . . . . . . à Victor . . . . . . chambre No . . . . . .

Demain elle . . . . . . à Victor . . . . . . 15.

Victor . . . . . . demain . . . . . .

Il . . . . . . son petit déjeuner dans . . . . . .

Extra

In the Student's Book you have learnt a number of relatively simple ways of writing a letter booking accommodation. Here are some more alternatives in the form of a specimen letter provided by the French Government Tourist Office. Make up a couple more letters using these alternatives.

Date

The Manager...

Hotel...

Address ....

Town ....

Monsieur le Directeur.

Dear Sir.

Ayant obtenu votre adresse par l'intermédiare du Fichier hotelier exposé dans les bureaux

I have selected your address in the hotel photo-guide on display at the French

des Services Officiels du Tourisme Français à Londres, je vous serais obligé de me communiquer

Government Tourist Office in London, and I should be grateful if you would let me know at

rapidement vos conditions et tarifs pour un séjour de .... nuits.

your earliest convenience your terms for staying .... nights.

commençant le .... à .... heures*   se terminant le .... à .... heures*

commencing .... at .... hours   ending .... at .... hours**

Please use the 24 hour clock

Nous sommes .... adultes et .... enfants

We are .... adults and .... children

(.............. filles agées de ....)   (.............. garçons agés de ....)

(................. girls aged ....)   (................. boys aged ....)

Nous souhaiterions réserver:

We would like to reserve:

.... chambres à 2 lits (avec WC/bain/douche)   ....chambres à grand lit (avec WC/bain/douche)

........twin bedded rooms (with WC/bath/shower) ....double rooms (with WC/bath/shower)

........chambres à un lit (avec WC/bain/douche)

........single rooms (with WC/bath/shower)

Nous préférons pour les enfants .... chambres séparées (avec WC/bain/douche)

For the children we would prefer .... separate rooms (with WC/bath/shower)

Nous désirons la pension complète/demi-pension/la chambre et le petit déjeuner.

We would like to have full board/half board (bed, breakfast and one meal)/bed and breakfast.

Avec mes remerciements.

Yours faithfully.

Name ....

Address ....

Town ....

◖Listening practice

A. Look at the departure board below, then listen to the cue on the cassette and ask what time the planes are leaving.

Ecoutez: Vous désirez, Monsieur? (Je peux vous aider?/Oui?)
Répondez: A quelle heure est le vol AF 703 à destination de Pékin?
Ecoutez: A 8h. 30.

Tableau des Départs				
Vol	*Destination*	*Horaire*	*Embarquement*	*Porte*
AF 703	Pékin	8h.30 . .		10
AF 603	Rome	. . . .		7
BA 702	Londres	. . . .		3
BA 501	Manchester	. . . .		4

B. Now look at the arrival board below, then listen to the cue on the cassette and ask at which gate the planes are coming in.

Ecoutez: Vous désirez, Monsieur? (Je peux vous aider? Oui?)
Répondez: C'est quelle porte, le vol AF 502 en provenance de Londres?
Ecoutez: Porte No 3.

Tableau des Arrivées				
Vol	*Provenance*	*Attendu à*	*Porte*	*Arrivée à*
AF 502	Londres	11.00	3	12.30
BA 403	Manchester	12.00		11.50
AF 310	Bruxelles	12.30		12.30
BA 604	Genève	12.40		12.45

Exercise 4 (du/de la/de l' §7.6)

Ecoutez: Vous désirez, Mademoiselle? (*lait*)
Répondez: Je voudrais du lait.

. Vous désirez, Mademoiselle?   (*lait*)
². Et puis?   (*confiture*)
³. Et avec cela?   (*vin*)
. Vous désirez autre chose?   (*croissants*)
». Et avec cela?   (*beurre*)
». Voilà, et avec cela?   (*café*)

◉ Exercise 5 (le/la/les pronouns §7.8)

Ecoutez: Vous prenez la chambre No 13?
Répondez: Oui, je la prends.

1. Vous prenez la chambre No 13?
2. Vous voulez le plan de métro?
3. Vous avez vos billets?
4. Vous avez votre passeport?
5. Vous achetez les cartes postales?
6. Vous avez le téléphone?

Reading practice

A. Eating habits of the French

Le matin, au petit déjeuner, les Français boivent généralement du café au lait et mangent des tartines avec du beurre et de la confiture. Certains boivent du thé (mais c'est rare) ou du chocolat (surtout les enfants). Le dimanche, s'ils ont le temps, parce qu'il faut aller à la boulangerie, ils mangent des croissants.

Ils déjeunent entre 12.00 et 2h., et l'heure du déjeuner, c'est sacré! Ils vont soit au café/restaurant du coin, soit à la cantine de l'usine, de la société, de l'école où ils travaillent.

Au café/restaurant, il y a souvent des menus avec un hors d'oeuvre, un plat principal et un fromage ou dessert. A la cantine (c'est en général un libre-service) il y a aussi trois plats. La boisson préférée des Français en général, c'est le vin rouge.

Après le déjeuner, les Français prennent un express. Le soir, ils dînent vers 8h. D'ailleurs les émissions de télévision importantes ne commencent jamais avant 8h. Très souvent le dîner comporte aussi trois plats.

Les Français mangent plus de fromages et de fruits que de desserts. Ils mangent le fromage avant les fruits ou le dessert. C'est une question d'habitude, certainement, mais c'est aussi une bonne façon de terminer son vin, car le vin fait mieux 'goûter' le fromage.

B. And now choose the right answer.

1. What do French people generally drink in the morning?
   a. Du café.
   b. Du café au lait.
   c. Du thé.

2. What do children prefer?
   a. Du thé.
   b. Du café.
   c. Du chocolat.

3. What do French people usually have on Sundays?
   a. Du pain et du beurre.
   b. Des gâteaux.
   c. Des croissants.

4. At what time is lunchtime?
   a. A 12.00.
   b. A 2.00.
   c. Entre 12.00 et 2.00.

5. What do they usually eat at lunchtime?
   a. Un sandwich.
   b. Un snack.
   c. Un repas composé de trois plats.

6. What do they usually drink?
   a. De la bière.
   b. Des boissons non alcoolisées.
   c. Du vin.

7. What do they usually drink after lunch?
   a. Un chocolat.
   b. Un thé.
   c. Un café.

8. At what time do they have dinner?
   a. A 8.00.
   b. Après 8.00.
   c. Vers 8.00.

9. When do they eat cheese?
   a. Après le dessert.
   b. A la place du dessert.
   c. Avant le dessert.

10. Why?
    a. Parce qu'ils sont snobs.
    b. Parce qu'ils pensent que le vin fait mieux goûter le fromage.
    c. Parce qu'ils pensent que cela se fait.

Extra

Listening practice

Understanding what people say on the telephone needs practice. Sometimes you may hear a recorded announcement. Here are three typical cases.

1. **A.** You telephone a firm and you hear this recorded announcement.

   B. And now choose the right answer.
   1. What is a *répondeur automatique*?
       a. A recorded announcement.
       b. An automatic answering device.

   2. What does it say?
       a. You have only a short time to speak.
       b. You have plenty of time to speak.

   3. Which does it say?
       a. Leave your message, name and telephone number.
       b. Leave only your message and name.

   4. What does it say finally?
       a. Now speak.
       b. This is the end of the recording.

   C. Translate into English what you have just heard.

2. **A.** You want to know the time, so you telephone *l'horloge parlante* (the speaking clock). This is what you might hear.

   B. Write down the time.

3. **A.** Now listen to the third telephone recorded announcement.

   B. What are you supposed to do?

Reading practice

A. You have asked the *Syndicat d'Initiative* for the prices at the camp-site '*Les Pins*' near Royan.

Here is the answer:

Monsieur,

Nous nous permettons de vous communiquer les tarifs actuellement en vigueur, sauf modification par arrêté préfectoral:

– 3,10 F par personne et par jour (– 1,55 F pour enfants moins de 12 ans)
– 2,55 F l'emplacement par jour
– 1,55 F la voiture par jour
– 0,08 F de taxes de séjour par personne et par jour

Par ailleurs, nous vous informons que les *chiens et autres animaux*, ne sont pas admis au camp.

Nous vous prions d'accepter, Monsieur, nos salutations distinguées.

Syndicat d'Initiative

B. Now choose the correct answer.

1. What kind of rates have you been sent?
   a. Prix fixes.
   b. Prix indicatifs.
   c. Tarifs actuellement en vigueur.

2. What about these rates?
   a. They will not be changed.
   b. They will only be changed by order of the Prefect.
   c. They have recently been changed.

3. How much is it per person per day?
   a. 2,55F. b. 3,10F. c. 1,55F.

4. How much is it per car per day?
   a. 2,55F. b. 3,10F. c. 1,55F.

5. How much is a camp-site pitch per day?
   a. 2,55F. b. 3,10F. c. 1,55F.

6. Is the 0,08F tax
   a. Par personne.
   b. Par jour.
   c. Par personne et par jour.

7. How much is it for a 5 year old child?
   a. 3,10F. b. 1,20F. c. 1,55F.

8. What is the regulation concerning animals?
   a. Chiens admis.
   b. Chiens et autres animaux admis.
   c. Chiens et autres animaux pas admis.

C. Suppose you will be staying 10 days with your wife/husband and your two children aged 5 and 8. You have a car. Calculate how much it will cost you.

D. You have moved now on to another camp-site where you stayed 5 days. Here is the bill you got at the end of your stay. Check it. If there are any errors, rewrite the bill as it should be.

			Nombre d'Unités	MONTANT
REDEVANCES				
4 à 10 ans	0,95 Fr.		1	0,95
Plus de 10 ans	1,90 Fr.		3	5,70
EMPLACEMENT				
1 et 2 campeurs	0,60 Fr.			
3 à 5 campeurs.	0,95 Fr.			
+ de 5 campeurs.	1,90 Fr.		1	1,90
Voiture.	0,95 Fr.		1	0,95
		Total.	. . . . . .	9,50
Réduction 15%				—
		Total.		
Électricité	0,80 Fr.			—
		Total journalier		9,50
Nombre de jours			5	5
		Total général.		47,50
ABSENCES				
0,95 Fr.				
1,90 Fr.				
0,95 Fr.				
		Total à déduire.	. . . . .	
RESTE DU *(Toutes taxes comprises)*			. . . .	47,50

Dans les ateliers

Exercise 1 (ce/cette/ces §8.1)

Exemple: Restaurant (*français*)
           Ce restaurant est français.

1. Café (*français*)
2. Machine (*allemand*)
3. Avion (*suisse*)
4. Ouvriers (*épuisé*)
5. Moteur (*anglais*)
6. Lettres (*exprès*)

Exercise 2

Georges, the CGT shop steward, writes to the CGT officials to explain why a strike should be called at the Sériex factory. Put the verbs in the right tense.

'Comme vous savez, il y a en ce moment une crise économique très grave à cause de l'inflation. Nous (*décider*) de (*demander*) une augmentation de salaire de 15%. Hier je (*aller*) voir la direction, je (*expliquer*) la situation. Je (*demander*) une augmentation de salaire de 15%. La direction (*rejeter*) notre demande. Elle (*offrir*) une augmentation de 5%. Nous (*rejeter*) leur offre. De plus nous (*être*) contre les licenciements à cause de la crise. Demain matin nous (*avoir*) une réunion syndicale pour (*prendre*) une décision. Je crois qu'une grève (*s'imposer*) et que tous les ouvriers (*suivre*) l'ordre de grève.'

☉Exercise 3 (perfect tense §8.4)

You are going to practise the verb *aller* in the perfect tense. First listen to the cue on the cassette, and then answer.

Ecoutez: Victor, qu'est-ce que vous avez fait hier? (*café*)
Répondez: Hier, je suis allé au café.

1. Victor, qu'est-ce que vous avez fait hier? (*café*)
2. Et Sabine, qu'est-ce qu'elle a fait? (*bureau*)
3. Qu'est-ce que tu as fait hier soir? (*restaurant*)
4. Et Victor, qu'est-ce qu'il a fait hier après-midi? (*poste*)
5. Et les enfants, qu'est-ce qu'ils ont fait hier matin? (*école*)
6. Et Georges, qu'est-ce qu'il a fait hier? (*usine*)

☉Exercise 4 (perfect tense §8.4)

Ecoutez: D'habitude, je vais au bureau à 9h., . . . (*10h.*)
Répondez: Mais hier, je suis allée au bureau à 10h.

1. D'habitude, je vais au bureau à 9h., . . . (*10h.*)
2. D'habitude, elles mangent à 1h., . . . (*2h.*)
3. D'habitude, il boit du café le matin, . . . (*thé*)
4. D'habitude, nous travaillons au salon, . . . (*cuisine*)
5. D'habitude, il va à l'usine à 8h., . . . (*9h.*)
6. D'habitude, tu achètes un carnet de métro, . . . (*1 billet*)

Exercise 5 (perfect tense – negative §8.5)

Ecoutez: D'habitude, vous prenez le métro à 8h.
Répondez: Mais hier, je n'ai pas pris le métro à 8h.

1. D'habitude, vous prenez le métro à 8h.
2. D'habitude, vous achetez le journal à 8h.30.
3. D'habitude, vous travaillez dans votre bureau.
4. Et à midi vous mangez à la cantine.
5. Ensuite vous visitez les ateliers avec votre contremaître.
6. Et aussi vous prenez toujours du vin avec votre repas.
7. Et après le repas, vous buvez toujours du café.

Reading practice

A. Read this newspaper article carefully. Use a dictionary if necessary.

Renault en grève

Renault est en grève depuis une semaine. Les syndicats CGT, CFDT et FO
représentés dans l'usine de Boulogne-Billancourt ont passé toute la journée d'hier à
parlementer avec la direction. Les ouvriers demandent une augmentation de
salaire de 20%, mais leurs revendications ne sont pas toutes d'ordre économique.
Ils veulent aussi une amélioration des conditions de travail en particulier pour les
ouvriers qui travaillent à l'atelier de montage, et surtout ils veulent l'échelle
mobile des salaires. L'échelle mobile est une revendication de longue date. La
direction a plusieurs fois promis d'accorder cette demande mais elle n'a encore
rien fait.
　Pour sa part la direction pense que les revendications des ouvriers ne sont pas
raisonnables. Pour le moment le gouvernement n'intervient pas. Il attend. Mais
après la journée d'hier le conflit entre les syndicats et la direction s'est accentué.
Leur réunion n'a rien donné. La direction a offert une augmentation de salaire
de 10%. Les syndicats ont rejeté cette offre. Les syndicats insistent sur l'urgence
de l'échelle mobile. La direction, elle, fait la sourde oreille. Bref, aucune des deux
parties n'a voulu céder.
　Si la grève continue encore, elle affectera terriblement la production. Et comme
on dit ici, quand Renault tousse, la France s'enrhume!

B. Suppose you are the British representative of British Leyland, explain in writing in
English to your boss what is happening.

C. And now write in English a few words about the three unions mentioned in this
article.

Extra

Reading practice

A. Read this parallel account of a strike.

Strike at Ford's

Ford workers are starting the second week of their strike. Their demand for a salary increase of 12% has not been met by the Ford management. The men are determined to stay out as long as necessary. The struggle between the union and the management is a bitter one. No one wants to compromise. With the full backing of the men, the shop-stewards are determined not to call off the strike until they get what they want.

The government is not interfering. But it seems that secret talks have already taken place between the management, the union and the government. The British economy will again be hit by such a strike. But the men say they are claiming what is due to them. They were promised an increase of 12% last November, it is now March and there has not been any increase because of the government policy of wage restraint.

B. Write a summary of this article in French for your French colleague who needs to know what is happening in the motor industry. Use a dictionary if necessary.

Reading practice

A. Read this brochure about the HS 125.

L'OUTIL D'AFFAIRES MODERNE

A mesure que les entreprises dynamiques modernisent le transport de leurs dirigeants, le volume des vols d'affaires se double tous les quatres ans – un accroissement annuel de 20%.

Capable de transporter jusqu'à dix passagers, le biréacteur Hawker Siddeley 125 constitue un moyen de transport idéal pour les vols d'affaires rapides et efficaces.

Tout en conservant la haute fiabilité des systèmes et le long rayon d'action des versions précédentes, la série **400** comporte, en outre, les nouvelles caractéristiques d'étude suivantes:

Nouvelle porte à marches intégrales
Niveaux de bruit réduits à l'intérieur
Une plus grande cabine menant à une plus grande souplesse d'aménagement

Nouvel aspect plus élégant à l'extérieur avec antennes encastrées et nouveau carénage de raccordement sur l'avant de l'aile
Poste de pilotage amélioré menant à un meilleur rendement et un plus grand confort de l'équipage

Poids au décollage accru permettant d'emporter une charge utile maximale avec le maximum de carburant

Le HS125 . . .   fonctionne par étapes de 1.700 miles (2.700 km)
évolue à une vitesse de croisière de plus de 800 km/h
est d'une excellente maniabilité aux faibles vitesses
se sert de pistes courtes sans revêtement en dur, évolue à partir d'aérodromes chauds et situés à haute altitude

. . . tout cela avec le niveau le plus élevé de sécurité et de régularité.

Les appareils HS125 se trouvent actuellement en service à travers le monde dans des rôles très variés, notamment:

voyages d'affaires	calibrage des voies
formation des équipages	aériennes
d'avions de ligne	taxi aérien
avion-école à la navigation	ambulance aérienne

B. Now choose the correct answer.

1. What does the brochure say about business flights?
   a. They double every 4 years.
   b. They increase by 20% every 4 years.
   c. They quadruple every 2 years.

2. What does the brochure say about the transport capacity of the HS 125?
    a. It can carry over 10 passengers.
    b. It can carry no more than 10 passengers.
    c. It can carry up to 10 passengers.

3. What about its range?
    a. It had to be reduced.
    b. It has been maintained.
    c. It has been increased.

4. What are its new noise level characteristics?
    a. Noise level of plane reduced.
    b. Noise level inside plane reduced.
    c. Noise level of plane slightly increased.

5. What does the brochure say about the passenger cabin?
    a. It is larger so that it gives more room for the pilot.
    b. It is larger so that it gives more room for passengers.
    c. It is larger so that it gives more room for staff and passengers.

6. What does the brochure say about the pilot's cabin?
    a. It is as big as on previous planes.
    b. It is bigger than on previous planes.
    c. It is smaller than on previous planes.

7. What does the brochure say about take-off weight?
    a. It allows an increase in load but a decrease in amount of fuel carried.
    b. It allows an increase in load and an increase in fuel carried.
    c. It allows an increase in fuel carried but a decrease in load.

8. What does the brochure say about its range?
    a. It is 2700km with 1 stop.
    b. It is 2700km with 2 stops.
    c. It is 2700km per stop.

9. What does the brochure say about the piloting of the plane?
    a. It is easily handled at high speed.
    b. It is easily handled at low speed.
    c. It is easily handled at all speeds.

10. How can the plane be used?
    a. For business trips only.
    b. For emergency trips only.
    c. For a wide variety of purposes.

C. Find in the text of the brochure the French words equivalent to the following English words:
    1. A tool.
    2. A leader.
    3. Business flights.
    4. Yearly.
    5. Up to.
    6. Efficient.
    7. Reliability.
    8. Range.
    9. Noise level.
    10. Aerial.
    11. Pilot's cabin.
    12. Output.
    13. Take-off weight.
    14. Load.
    15. Cruising speed.
    16. Runway.
    17. Route.
    18. Training.

D. And now make a summary in English of the main points of the brochure.

En voiture pour la foire au vin

Exercise 1

Victor sends a note to Jacques in French about the *foire au vin*. Write out Victor's letter in full from this outline.

Hier (*visiter*) foire au vin. (*Partir*) tôt parce qu'il y a . . . . . . km jusqu'à Bordeaux. A cause . . . . . ., détour . . . . . . km. Enfin (*arriver*) à Bordeaux. M. Sériex (*garer*) la voiture . . . . . . 'La Rotonde'. Nous (*aller*) stand de dégustation . . . . . . Nous (*goûter*) St. Emilion, etc . . . . . . Vins (*délicieux*). (*Etre*) un peu saoul. Les Sériex (*acheter*) . . . . . ., moi (*acheter*) . . . . . .

Exercise 2

You are leaving your car in a garage for a service. You write a note to the mechanic to remind him what needs doing. Here is your note in English, now write it out in French.

Please check: ~Tyres
~Brakes
~Oil
~Windscreen wipers not working properly
~Radiator and battery

Change plugs
Fill up with petrol
Will call tomorrow 9·00

Thanks

Exercise 3

Make sensible sentences out of the three columns.

1. Victor . . . . . . à sa femme hier soir.	a	acheté
2. Hier matin M. Sériex . . . . . . en ville.	ont	vérifié
3. Le garagiste . . . . . . la voiture de M. Sériex.	est	allé
		arrivé
4. L'avion de midi . . . . . . à 11h.45!		mangé
5. Soudain un agent de police . . . . . . pour arrêter la circulation.		téléphoné
		parti
6. Hier, le courrier de l'après-midi . . . . . . avant 16h.!		goûté
		sifflé
7. Victor . . . . . . une demi-douzaine de bouteilles de vin.		garé
8. Les Sériex . . . . . . plusieurs vins.		
9. Hier, pour la première fois, Victor . . . . . . un cassoulet.		
10. M. Sériex . . . . . . sa voiture au parking.		

Exercise 4

Revise your car vocabulary.

Now write down the names of the parts numbered on this picture.

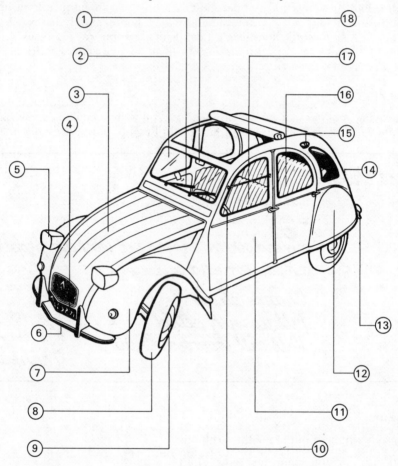

⊗ Exercise 5 (en §9.5)

Ecoutez:　1. Vous avez encore du pain?
Répondez:　Non, je n'en ai plus.
Ecoutez:　2. Vous n'avez plus de vin?
Répondez:　Si, j'en ai encore.

1. Vous avez encore du pain?
2. Vous n'avez plus de vin?
3. Vous avez encore de l'huile?
4. Tu n'as plus d'essence?
5. Tu as encore de l'antigel?
6. Tu as encore de l'argent?
7. Vous n'avez plus de beurre?
8. Vous avez encore du sucre?

Exercise 6 (le/la voilà §9.2)

Ecoutez: Où est votre livre de travail?
Répondez: Tenez, le voilà.

1. Où est votre livre de travail?
2. Où est votre voiture?
3. Où est ta clef de voiture?
4. Où est votre maison?
5. Où est ton mari?
6. Où est votre femme?

Exercise 7 (venir de §9.6; en §9.5)

Ecoutez: Tenez, prenez du porto.
Répondez: Non, merci, je viens d'en prendre

1. Tenez, prenez du porto.
2. Tenez, goûtez ce vin rouge léger.
3. Tenez, buvez du blanc.
4. Tenez, goûtez du Sauternes.
5. Tenez, prenez un verre de cognac.

Listening practice

A. First listen carefully to the account of Victor's visit to the *foire*.

B. And now complete the sentences correctly.

1. M. Sériex, Mme Sériex et Victor sont allés ...
    a. ... à la foire au vin à Bordeaux.
    b. ... à la foire au pain à Bordeaux.
    c. ... à la foire au lin à Bordeaux.

2. Ils sont partis tôt parce qu'il y a environ ...
    a. ... 116km jusqu'à Bordeaux.
    b. ... 160km jusqu'à Bordeaux.
    c. ... 106km jusqu'à Bordeaux.

3. Mme Sériex a crié: 'Attention, Joseph! Il y a ...
    a. ... un éléphant juste devant!'
    b. ... un enfant juste devant!'
    c. ... un agent juste devant!'

4. Il y a un détour sur ...
    a. ... 13km à cause des travaux.
    b. ... 30km à cause des travaux.
    c. ... 3km à cause des travaux.

5. M. Sériex a garé la voiture ...
    a. ... dans une petite rue.
    b. ... sur une petite roue.

6. Il a garé la voiture ...
    a. ... juste avant le café.
    b. ... juste devant le café.
    c. ... juste le long du café.

7. Ils se sont dirigés vers le stand de dégustation gratuite où ...
    a. ... ils ont bu chacun un bon vin blond.
    b. ... ils ont bu chacun un bon vin blanc.

8. Ils ont bu patiemment ...
    a. ... en entendant l'heure.
    b. ... en attendant l'heure.

C. Write the French for:

1. The wine fair.
2. Early.
3. About.
4. Careful!
5. The traffic.

6. Traffic lights.
7. Out of order.
8. Road works.
9. To park the car.
10. All of them.

Exercise 8

A.

Garage Leclerc

Note		Le 12/10/..
Main d'oeuvre 4h × 60F		240F
Pneu avant droit radial		95F
Bouchon réservoir		25F
Tuyau radiateur		80F
Batterie		150F
Courroie		20F
Sabots freins (4)		120F
Pare-chocs avant		145F
	Total	875F

Refer to Ex. 2 and make a note in English of what has not been done and also of what has been done but was not asked for.

B. Now complete the following sentences with the correct ending from the right-hand column.

1. J'ai demandé au garagiste de changer . . .	le plein d'essence les bougies
2. Je lui ai aussi demandé de vérifier . . . et . . ., enfin je lui ai demandé de faire . . .	la pression des pneus les essuie-glaces le bouchon du réservoir la courroie
3. Mais à la place il m'a mis un nouveau . . . il m'a changé . . . et . . . et enfin il m'a mis une nouvelle . . .	le pneu avant droit le pare-chocs avant

Extra

Reading practice

A. Read the following text for wine snobs.

Un Art de France

Cest l'accomplissement d'un rite sacré.

Exercez-le avec de l'attention, de la gravité, du recueillement. Pas d'eau, pas de cigarettes, pas de sucreries.

Remettez votre bouche à zéro avec un peu de pain, pour décaper votre palais.

Ne remplissez pas les verres complètement, mais à moitié, pour éviter que les parfums se dispersent.

Mirez le vin pour juger de sa robe, de sa limpidité, de son brillant.

Respirez-le, humez-le en "dodinant" doucement le verre pour percevoir l'arôme, le bouquet.

Goûtez-le en le buvant à petites gorgées, en le "mâchant" pour en apprecier la douceur ou la sécheresse, le corps ou la légèreté, le fruité, la fraîcheur, la puissance, la vinosité ou la délicatesse.

Enfin, analysez vos sensations et définissez-les en utilisant le vocabulaire des connaisseurs.

Ainsi vous serez proclamé excellent dégustateur.

Ajoutez à cette réputation en contant des anecdotes sur les

VINS DE FRANCE

B. Now answer the following questions by writing down *vrai* or *faux*.

1. Il est bon de fumer une cigarette ou de manger une sucrerie avant de déguster du vin.
2. Il est recommandé de remettre sa bouche à zéro en buvant un grand verre de whisky.
3. Il ne faut pas remplir son verre complètement.
4. Il est conseillé de remplir son verre à moitié pour ne pas renverser le précieux liquide.
5. Ensuite pour faire comme les connaisseurs, il faut avaler le vin à petites gorgées.
6. Puis on respire le vin qu'on vient de goûter.
7. Enfin on admire la couleur du vin pour savoir si c'est un blanc, un rosé ou un rouge.
8. Finalement, on dit que le vin est 'excellent', 'bon', 'pas mauvais' ou 'médiocre' – utilisant ainsi le vocabulaire des connaisseurs.

C. (i) Find in the text the French words equivalent to the following English words.

1. Palate.
2. Bouquet.
3. To inhale.
4. A sip.
5. A taster.
6. Softness.

(ii) Find as many other words as possible related to the following words. (For example: douceur – doux.)

1. Douceur.
2. Sécheresse.
3. Légèreté.
4. Fraîcheur.
5. Délicatesse.
6. Puissance.

Le contrat

Exercise 1

Choose the correct word(s) to complete the sentence.

Example: J'espère que vous ...... presser la livraison.
  (*pouvez/pourriez/pourrez*)
  J'espère que vous pourrez presser la livraison.

1. J'espère qu'elle ...... ce soir.
   (*téléphone/téléphonera/a téléphoné*)
2. Les pièces défectueuses, nous nous engageons à ...... réparer.
   (*la/le/les*)
3. Je ...... prêt à passer commande.
   (*es/sont/suis*)
4. Nous représentons ...... intérêts en France.
   (*leur/leurs/son*)
5. ...... sont vos conditions?
   (*quelles/quels/quelle*)
6. Je ...... monté à pied!
   (*ai/suis/est*)
7. Nous ...... engageons à vous livrer les moteurs.
   (*vous/tu/nous*)
8. Nos relations commerciales sont excellentes, ... parler de nos relations personnelles!
   (*avec/pour/sans*)
9. Nous sommes prêts à vous ...... un rabais de 15%.
   (*faire/fais/faites*)
10. Mon séjour ...... très intéressant.
    (*a été/as été/ai été*)

Exercise 2

A. Victor sends a note to Sériex at Toulouse to tell him about the deal London is proposing. Write out Victor's letter in full from this outline.

Hier je (*téléphoner*) à Londres. Je (*parler*) avec M. Ford. Nous (*discuter*) l'affaire. Il (*proposer*) rabais 15%. Mais si vous (*commander*) 16 moteurs.

B. Sériex writes back. Write out his letter from this outline.

Je (*être content*) lettre. Offre (*être intéressant*). Est-ce que vous (*pouvoir*) presser livraison? Comment (*être*) livraison? Bientôt j'espère que nous (*fêter*) contrat dans restaurant.

Listening practice

It is very useful to be able to write down addresses and telephone numbers easily and quickly when people give them to you. But it takes practice!

Listen carefully to the cassette. You will hear five addresses and telephone numbers. Write them down as they are dictated to you.

Exercise 3 (pronouns §7.8)

Ecoutez : J'espère bien que vous signerez le contrat.
Répondez : Bien sûr, je le signerai !

1. J'espère bien que vous signerez le contrat.
2. J'espère bien que vous accepterez nos conditions.
3. J'espère bien que vous considérerez nos garanties.
4. J'espère bien que vous ferez la commission.
5. J'espère bien que vous réparerez les pièces défectueuses.

Reading practice

A. Letter No. 1

(i) Read this letter carefully. Use a dictionary if necessary.

Crespin le 6/7/19 . .

Messieurs,

Veuillez avoir l'obligeance de nous faire offre pour fourniture de ce qui suit :

36–54 ou 72 équipements de sonorisation et d'interphonie destinés aux automotrices électriques type Z2 de la SNCF

Ces équipements seront conformes au document technique ci-joint. Votre offre sera détaillée par type d'élément (micro, préampli, etc . . .). Avec votre offre, nous vous demandons de joindre le descriptif technique de votre fourniture, schémas et plans des équipements proposés et les poids.

Réception : SNCF
Délai de remise d'offre : 25 juillet 19 . . impérativement. Votre correspondant technique est Monsieur Fisch, poste 485. Veuillez également nous préciser vos délais de livraison.

Veuillez agréer, Messieurs, nos salutations distinguées.

Le Chef du Service Achats

F. Devillers

(ii) And now see if you have understood the main points.

1. What is the letter about?
   a. Publicity and price-list for a product.
   b. Request for information on the price of a product.

2. What kind of equipment is it?
   a. Public address system only.
   b. Public address and intercom systems.

3. What is the relationship between the equipment and the technical specification?
   a. Equipment may differ from technical specification.
   b. Equipment to conform to technical specification.

4. What must the reply include?
   a. Technical description of equipment only to be supplied.
   b. Technical description accompanied by drawings and plans and information on the weight of individual items.

5. When must the proposal reach the firm?
   a. About 25 July 19 . .
   b. Absolutely no later than 25 July 19 . .

6. Where can M. Fisch be reached?
   a. Telephone No 485.
   b. Extension 485.

7. What else does the letter request?
   a. Delivery date.
   b. Delivery time.

8. Who is F. Devillers?
   a. Head of the sales department.
   b. Head of the purchasing department.

(iii) And now find in the letter the French equivalents for these English terms:

1. Technical description.
2. Technical specification.
3. For supplying the following.
4. Will conform to . . . .
5. Broken down by . . . .
6. Drawings.
7. (Telephone) extension.
8. Enclosed.

B. Letter No. 2

(i) Read this letter carefully. Use a dictionary if necessary.

Le 12/10/19 . .

Monsieur,

Nous vous remercions de votre requête concernant nos produits.

Nous sommes heureux d'inclure, à votre demande, notre brochure décrivant certains de nos équipements-types.

Nous serons heureux d'étudier tout besoin spécifique que vous pourriez avoir concernant les systèmes de communication. Nous sommes prêts à vous soumettre des propositions pour des unités-types. Nous sommes prêts également à adapter des unités ou à en développer pour satisfaire vos besoins et spécifications.

Nous espérons que cette information vous intéressera.

Dans l'attente de vous lire, je vous prie de croire, Monsieur, en l'expression de mes sentiments les meilleurs.

Le Président-Directeur Généra
R. Fabre

(ii) Have you understood it? Test yourself.

    1. What is this letter?
      a. A response to a request for information.
      b. A request for information.
      c. A thank-you letter.

    2. What is said in the letter about the brochure?
      a. It will be sent.
      b. It has been sent.
      c. It is enclosed with the letter.

    3. How is the equipment referred to designed?
      a. To fit specific needs.
      b. It is standardised.
      c. To fit the firm's own products only.

    4. What is the firm willing to do?
      a. To adapt existing equipment only.
      b. To develop new equipment only.
      c. To adapt and develop equipment.

    5. Who is R. Fabre?
      a. The sales manager of the firm.
      b. The managing director of the firm.
      c. The chairman of the firm.

(iii) 1. Find another French word for:
      a. Requête.
      b. Produit.
      c. Brochure.

    2. Give the French nouns derived from these verbs:
      a. Remercier.
      b. Etudier.
      c. Satisfaire.

    3. Give the French verbs derived from these nouns:
      a. Spécification.
      b. Information.
      c. Expression.

Extra

Reading practice

A. Read the following tender carefully. Use a dictionary if necessary.

OFFRE
Pour fournir l'équipement suivant basé sur votre Spécification NO. TRA 84426, 84427, 84428 de même que les Spécifications BR qui y sont mentionnées.

Prix par train pour l'équipement phonique décrit dans notre Spécification Technique TP/147/7/..

Les 2 premiers trains	... F chaque
Les 80 autres	... F chaque

Prix
Plus rectification prix coûtant, TVA en sus, Franco domicile, Taxes et Transport payés.

Toutes les unités qui nous sont retournées sous garantie doivent être renvoyées, transport et assurance payés, à nos ateliers à Auxerre ou à notre agent en Grande Bretagne. Elles doivent être accompagnées d'une note indiquant la raison du renvoi, le numéro de série et le type de l'équipement de même que les nom et adresse du Service ou de la personne concernés.

Délai de Fourniture
Prototype	septembre 19 ..
Préséries	janvier 19 ..

Quantités produites – négociables mais en général sur une période de 3/4 ans.

Paiement
A 30 jours de fin de mois dès réception de facture. Escompte de 2,5% pour paiement au comptant.

Installation
Notre expérience passée nous a appris qu'il est très utile qu'un de nos ingénieurs soit présent lors de l'installation des premiers équipements. Cela permet à nos ingénieurs de montrer à votre personnel d'installation et d'inspection certains détails délicats d'installation et de test.

Révision et Réparation
Nous avons déjà prévu la provision de pièces de rechange en Grande Bretagne pour assurer une utilisation journalière satisfaisante de notre matériel.

B. And now write a summary in English of the main points of this tender.

A la foire de Paris

Exercise 1

M. Duchêne writes a report to his company of his visit to the foire de Paris.

Write the report out in full from this outline.

(*Aller*) pavillon allemand. (*Prendre*) renseignements . . ., prix, rabais, facilités de paiement. (*Parler*) avec concurrents. Puis (*aller*) pavillon japonais, (*prendre*) brochures, catalogues, fascicules etc . . . (*consulter*) prix, crédits, livraison . . . (*Devoir*) faire attention concurrence japonaise.

Exercise 2

Rewrite the conversation with the correct form of the verb *s'intéresser*.

M. CHABRIER – Bonjour Monsieur. Vous . . . . . . intéressez à nos machines, n'est-ce pas?

M. BLONDEL – Bonjour. Oui, je . . . . . . beaucoup à vos machines.

M. CHABRIER – Et vous . . . . . . aussi à nos prix, je pense?

M. BLONDEL – Oui, ça . . . . . . aussi.

M. CHABRIER – Et nos facilités de paiement vous . . . . . ., n'est-ce pas?

M. BLONDEL – Oui, elles . . . . . . aussi.

M. CHABRIER – Et nos conditions d'achat, elles . . . . . ., n'est-ce pas?

M. BLONDEL – Oui, elles . . . . . . aussi.

Exercise 3

Complete the sentences with the appropriate word.

Exemple: Les fascicules, vous . . . . . . prenez, n'est-ce pas?
    (*le/la/les*)
    Les fascicules, vous les prenez, n'est-ce pas?

1. La foire de Paris? Mais nous . . . . . . allons tous les ans!
   (*en/nous/y*)
2. En France, ... parle français, c'est évident! (*tu/nous/on*)
3. Catherine? Elle travaille à la banque . . . . . . déjà un an! (*pendant/depuis/il y a*)
4. Nos exportations? Elles . . . . . . depuis notre entrée dans le Marché Commun.
   (*augmentent/ont augmenté/a augmenté*)
5. Hier, je . . . . . . à la foire de Paris. (*vais/suis allé/vais allé*)
6. Vos facilités de paiement, je . . . . . . accepte. (*la/le/les*)
7. Giscard? Je ne le . . . . . . pas, mais je . . . . . . qui c'est, bien sûr!
   (*sais/connais/connu*)
8. Les lettres pour Filturbo? Oui, Monsieur le Directeur, je les . . . . . . moi-même.
   (*ai écrit/ai écrites/ai écrits*)
9. Des timbres? Oui, j' . . . . . . ai. (*y/en/à*)
0. Je peux passer? Vous serez chez . . . . . . demain soir? (*nous/moi/vous*)

⊘Listening practice

It is useful to be able to pick out the information which is important to you, even though you may not understand every word the speaker says.

A. Listen carefully to the sales talk on the cassette.

B. Now make a note of the details to report to your firm.

C. Write down the French for:
1. A product.
2. A reduction.
3. Terms of payment.
4. Long-term credit.
5. Medium-term credit.
6. Delivery.
7. Free delivery.
8. By air.
9. Interest.
10. High/not very high (interest rate).

Exercise 4 (en §9.5; y §11.4)

Here you need to fill the gap with either *en* or *y*.
Exemple: Tu vas au cinéma ce soir? Oui, je . . . . . . vais.
        Oui, j'y vais.

1. Elle est allée au théâtre hier? Oui, elle . . . . . . est allée.
2. Vous avez assez de vin? Oui, je . . . . . . ai assez.
3. Vous avez des enfants? Oui, je . . . . . . ai deux.
4. Il travaille à Filturbo? Oui, il . . . . . . travaille.
5. Elle habite à Sceaux? Oui, elle . . . . . . habite.
6. Vous avez des cigarettes? Oui, je . . . . . . ai.

Reading practice

Using the same method as you have used in the Student's Book, work out what the articles are about.

Article 1

**AUTOROUTE PARIS-LYON
PAS DE PEAGE
AUJOURD'HUI ET DEMAIN**

■ Pas de péage aujourd'hui et demain pour les automobilistes qui empruntent l'autoroute A 6 Paris-Lyon. Pour la quatrième fois depuis le début de l'année, les péagistes se sont en effet mis en grève. Des arrêts de travail avaient déjà eu lieu les 14 et 20 mars, les 16, 17 et 18 avril et le 18 mai. Les organisations syndicales entendent ainsi obtenir l'application de la nouvelle grille des salaires.

Now answer the following questions in English.

1. Why should it be a good idea to go by car from Paris to Lyons today or tomorrow?
2. Which route should you take?
3. Are the events described in the article unusual?
4. What do the unions want?

Article 2

Un miracle anglais?

Le Chancelier de l'Echiquier s'explique

L'economie britannique, abattue depuis des années, est en train de se relever, la hausse des prix est freinée, les arrêts de travail se raréfient, les syndicats acceptent un contrat social, le pétrole de la mer du Nord commence à couler vers l'Angleterre. Est-ce le début d'un "miracle économique"? Le chancelier de l'Echiquier, Denis Healey, s'en explique avec Alain Vernay.

nswer the following questions in English.

What is the *miracle anglais*?
Who says so?
What are the things which contribute to this 'miracle'?

Extra

Reading practice

A. You may have come across this advertisement in the newspapers. Can you understand it? Try and translate it into English.

> Dubonnet s'il vous plaît. Parce qu'il vous plaît. Quand il vous plaît. Comme il vous plaît. Où il vous plaît. Avec qui vous plaît. Avec ce qui vous plaît. Dubonnet vous plaît.

B. You know that in France there is a wide variety of cheeses. You have probably tasted some of them, perhaps Camembert or Brie.

Look at these drawings of cheeses:

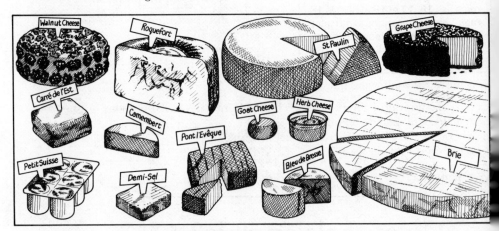

(i) Read the description of these cheeses carefully.
   a. Le fromage aux herbes est un mélange de fromage blanc frais, d'herbes et d'ail. Il a un goût subtil.
   b. Le Chèvre, comme son nom l'indique, est fait avec du lait de chèvre. C'est un fromage que l'on fabrique un peu partout en France et qui est trés apprécié des Français.
   c. Le fromage aux noix tout comme le fromage aux raisins sont des fromages cuits. Les noix ou les raisins ajoutent une saveur particulière à ces fromages onctueux.
   d. Le Roquefort est un fromage bleu, fait avec du lait de chèvre. Il est fabriqué en Aquitaine. C'est un fromage qui mûrit dans les caves spéciales que l'on trouve en Aquitaine. C'est ce qui lui donne un goût si riche et si fort. Il a la réputation d'être le fromage le plus cher au monde!
   e. Le Petit-Suisse est un fromage blanc originaire de Normandie. On le fabrique maintenant partout en France. Le Demi-Sel, lui aussi originaire de Normandie est un fromage blanc au goût légèrement salé (d'où son nom).
   f. Le Carré de l'Est, comme son nom l'indique, est de forme carrée. Il a un goût plus doux que le Camembert.

g. Le Camembert est fabriqué en Normandie. Parce qu'il n'a environ que 12cm de diamètre, il mûrit plus rapidement que le Brie et a un goût plus fort et plus riche.

(ii) Now find the French for:
   1. grape cheese
   2. goat cheese
   3. walnut cheese
   4. herb cheese

(iii) You've been given the job of buying the cheese for the office wine and cheese party. Write a note for the party organiser telling him what the following cheeses are like, choosing the right description from the list below.
   1. Carré de l'Est
   2. Camembert.
   3. Demi-Sel
   4. Roquefort
   5. Petit-Suisse

   a. Fresh cream cheese nowadays made all over France. Originally from Normandy.
   b. Blue cheese made from ewe's milk. Comes only from Aquitaine. The caves in which it ripens give the cheese its strong, rich taste.
   c. Square cream cheese, softer than Camembert.
   d. Traditionally comes from Normandy. It matures more quickly than Brie and has a stronger, full-bodied taste.
   e. Originally from Normandy, has a mild taste and is slightly salted.

Exercise 1 (agreement of past participle §12.9)

Complete the sentences by choosing the correct ending from the right-hand column.

1. Voilà l'article que . . . . . .
2. Voilà la lettre que . . . . . .
3. Tiens, regarde l'affiche que . . . . . .
4. Regarde l'augmentation que . . . . . .
5. Oui, c'est le poste que . . . . . .
6. Oui, merci ce sont bien les dossiers que . . . . . .

    a. j'ai obtenue.
: b. j'ai achetée.
    c. j'ai accepté.
    d. j'ai reçue.
    e. j'ai écrit.
    f. j'ai oubliés.

Exercise 2

Complete the sentences in such a way that the whole sentence makes sense.

1. Ils veulent continuer la grève . . . . . .
2. Nous voulons 15% d'augmentation . . . . . .
3. Si les ouvriers font les idiots . . . . . .
4. Les ouvriers sont forts . . . . . .
5. On ne peut pas faire marcher l'usine . . . . . .
6. L'occupation d'usine, ça ne leur suffit pas . . . . . .
7. Les délégués syndicaux sont tous d'accord . . . . . .
8. Si le patron accepte nos revendications . . . . . .

    a. ils seront licenciés.
    b. sans les cadres supérieurs.
    c. nous arrêtons la grève.
    d. parce qu'ils veulent la grève active.
    e. à cause du coût de la vie.
    f. pour éviter la grève active.
    g. si la direction ne cède pas.
    h. parce qu'ils sont tous unis.

◉ Exercise 3 (lui/leur)

Ecoutez :   C'est vrai, le gouvernement accorde 20% d'augmentation aux ouvriers?
Répondez : Il leur accorde 20% pour commencer.

1. C'est vrai, le gouvernement accorde 20% d'augmentation aux ouvriers?
2. Sériex accorde vraiment l'échelle mobile à ses employés?
3. C'est vrai, les hommes vont refuser l'entrée à Jean-Marie?
4. C'est vrai, Georges va parler au PDG?
5. C'est vrai, les syndicats vont conseiller aux hommes d'arrêter la grève?
6. Vraiment, Morel abandonne l'affaire à Melville?

◉ Exercise 4 (pendant §12.1)

Ecoutez :   Vous ne l'attendez plus? (*1h.*)
Répondez : Je l'ai attendue pendant une heure. Ça suffit!

1. Vous ne l'attendez plus? (*1h.*)
2. Vous ne travaillez plus? (*6h.*)
3. Vous voulez boire quelque chose? (*5h.*)
4. Vous ne lisez plus? (*2h.*)
5. Vous n'etudiez plus? (*4 ans*)

Listening practice

Listening for gist is something one cannot get too much of. Radio news is a good source of practice.

A. Listen carefully to the radio news on France Inter which Jacques and Victor are listening to. There is a report of the strike that is taking place at Sériex's factory in Toulouse.

B. Victor is not quite sure he has understood everything, so he checks up with Jacques.

Take the role of Jacques and answer Victor's questions.

1. VICTOR   Dites, Jacques, je n'ai pas bien compris. Depuis quand dure la grève?
   JACQUES   ......
2. VICTOR   Ah, merci! Et ils demandent 6% d'augmentation?
   JACQUES   ......
3. VICTOR   Ah, je vois! Mais à part l'augmentation, ils demandent l'échelle quoi?
   JACQUES   ......
4. VICTOR   Ah, bon! Et aussi, ils ne veulent pas de licenciements à mi-temps, qu'est-ce que ça veut dire?
   JACQUES   ......
5. VICTOR   Ah, je vois! Il y a bien seulement la CGT et FO qui soutiennent la grève?
   JACQUES   ......
6. VICTOR   Ah, bon! Le reporter a aussi parlé d'atout, n'est-ce pas? Qu'est-ce que c'est?
   JACQUES   ......
7. VICTOR   Evidemment! Et ils le perdront si l'occupation continue, c'est bien ça?
   JACQUES   ......
8. VICTOR   Ah, merci beaucoup Jacques. A propos, à quelle heure est le prochain flash d'informations?
   JACQUES   ......
9. VICTOR   Merci bien, je l'écouterai.

C. And now listen again several times and write down as much as you can of this broadcast in French.

D. The BBC is reporting the strike at Sériex's factory. Draft the report in English.

E. And now write the French for:

1. A special correspondent.
2. A wage increase.
3. Index-linked salary scale.
4. Part-time work.
5. Better work conditions.
6. Unconditional support.
7. Redundancies.
8. The trump card.
9. A trade-union member.
10. The employers.

Reading practice

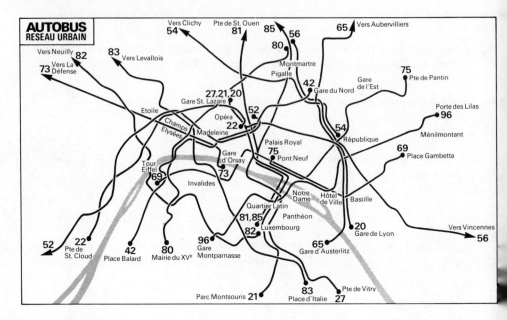

Look at the simplified bus map and fill in (in column 3) the correct bus numbers for the routes going from your hotel (in the areas in column 1) to the destinations in column 2 (there may be several alternatives).

Example: V 3
　　　From the Champs Elysées to the Gare du Nord, Bus No. 22.

I Bastille		II République	
1. Opéra	Bus No. ...	1. Pont Neuf	Bus No. ...
2. Tour Eiffel	Bus No. ...	2. Montmartre	Bus No. ...
3. Hôtel de Ville	Bus No. ...	3. Gare du Nord	Bus No. ...
4. Palais Royal (Louvre)	Bus No. ...	4. Pigalle	Bus No. ...

III Quartier Latin		IV Quartier St Germain	
1. Grands Magasins	Bus No. ...	1. Grands Magasins	Bus No. ...
2. Opéra	Bus No. ...	2. Opéra	Bus No. ...
3. Montmartre	Bus No. ...	3. Palais Royal (Louvre)	Bus No. ...
4. Notre-Dame	Bus No. ...	4. Palais du Luxembourg	Bus No. ...

V Champs Elysées		VI Opéra	
1. Montmartre	Bus No. ...	1. République	Bus No. ...
2. Opéra	Bus No. ...	2. Bastille	Bus No. ...
3. Gare du Nord	Bus No. ...	3. Tour Eiffel	Bus No. ...
4. Les Invalides	Bus No. ...	4. Quartier Latin	Bus No. ...

Extra

Listening practice

A. Listen to the following poem by Prévert, entitled '*Le Message*'.

B. Write down the French for:

1. To stroke.
2. To bite.
3. To knock over.
4. To run.
5. To cross.

6. To close again.
7. To read.
8. To open.
9. To sit down.
10. To die.

C. Give the opposite in French of:

1. Quelqu'un.
2. Fermer.
3. S'asseoir.

Exercise 5 (La Carte Orange)

Go back to the information about the *Carte Orange* in the Student's Book before you have a go at these exercises.

A. Choose the correct answer.

1. Where is it used?
   a. On buses only.
   b. On the metro and suburban lines only.
   c. On buses, the metro and suburban lines.

2. What is it?
   a. A weekly season ticket.
   b. A monthly season ticket.
   c. An annual season ticket.

3. Where does it give you the right to travel?
   a. In 1st class carriages only.
   b. In 2nd class carriages only.
   c. In 1st and 2nd class carriages.

prix du coupon mensuel

Nombre de zones	2ᵉclasse	1ʳᵉclasse
1 ou 2 zones	40 F	80 F
3 zones	60 F	120 F
4 zones	80 F	160 F
5 zones	100 F	200 F

B. And now, using the scale of prices given above, how much would you pay for your *Carte Orange* if:

1. You work in Paris but live in Argenteuil (2nd class).
2. You work in Paris but live in Rambouillet (1st class).
3. You work in Paris but live in Sceaux (1st class).
4. You work in the St. Lazare area but live near Gare de Lyon (2nd class).
5. You work at La Défense but live at Boissy St. Léger (2nd class).

Exercise 1

Choose the right answer to complete the following sentences.

1. Ils sont prêts à faire grève indéfiniment . . .
   a. . . . s'ils obtiennent gain de cause.
   b. . . . s'ils n'obtiennent pas gain de cause.
   c. . . . si le patronat le veut.

2. La crise économique se traduit par . . .
   a. . . . des fermetures d'usine.
   b. . . . des voyages à l'étranger.
   c. . . . des augmentations de salaire.

3. L'inflation ne cesse de croître . . .
   a. . . . quand il y a une crise économique.
   b. . . . quand il n'y a pas de crise.
   c. . . . quand tout le monde est content.

4. Les syndicats soutiennent les ouvriers . . .
   a. . . . parce qu'ils sont en grève.
   b. . . . pour plaisanter.
   c. . . . parce qu'ils aiment parler.

5. La direction accorde aux grévistes leurs revendications . . .
   a. . . . pour arrêter la grève.
   b. . . . parce qu'elle a tort.
   c. . . . quand ce n'est pas assez.

6. Les syndiqués accepteront les propositions du patronat . . .
   a. . . . si les syndicats le veulent.
   b. . . . si elles sont raisonnables.
   c. . . . si les hommes sont gentils.

Exercise 2

Choose the noun that *l'/la/les* replaces in the following sentences and then rewrite the sentence in full.

1. Il les a prises avec lui ce matin.
   ses clefs/ses enfants/ses dossiers

2. Vous l'avez vue hier soir au théâtre, n'est-ce pas?
   son ami/sa femme/sa voiture

3. Elle l'a consulté, mais elle est quand même descendue à la mauvaise station.
   son docteur/son annuaire/son plan

4. Ils veulent la continuer indéfiniment.
   la grève/l'augmentation/la direction

5. Il paraît que tous les ouvriers l'ont accepté.
   la commande/la grève/l'ordre de grève

6. Elle les a certainement laissés dans sa voiture.
   ses dossiers/sa robe/ses clefs

Exercise 3 (agreement of past participle §13.3)

Exemple: Tu es sûr, tu as pris les lettres avec toi?
　　　　Oui, je suis sûr que je les ai prises avec moi.

1. Tu es sûr, tu as pris les valises avec toi?
2. Tu es sûr, tu as mis les clefs dans ta poche?
3. Tu es vraiment certain, tu as vu le contremaître dans son bureau?
4. Tu es certain, tu as pris le dossier avec toi?
5. Tu es sûr, tu as mis le contrat dans ta serviette?
6. Tu es vraiment certain, tu as pris les brochures avec toi?

Reading practice

A. Read the following newspaper headlines.

RENAULT EN GREVE

Les ouvriers protestent contre le licenciement de l'un d'entre eux.

CE SONT DES QUINTUPLES!
Trois filles et deux garçons. Poids: entre 500g et 1,5kg! Père et mère enchantés.

PARIS AU MOIS D'AOUT
Température: record de chaleur
Route: accidents records
Touristes: record d'affluence.

LA MAREE NOIRE
Pollution végétale, animale, minérale. Les Bretons continuent de nettoyer leurs plages. L'aide afflue de tous les coins de France.

DESARMEMENT NUCLEAIRE
Encore une Conférence au Sommet. Etats-Unis et URSS. Possibilité d'arrêter course aux armements nucléaires?

B. Translate them.

⚙ Listening practice

Industrial unrest in the factory.

A. Listen to the impassioned speech made by one of the workers and try to remember the main points.

B. Write down the most important points to report later to your employer.

C. Write down the French for:
1. Claims.
2. A salary increase.
3. The bosses.
4. It affects everybody.
5. An end to compromises!
6. A bonus of an extra month's pay.
7. Security of employment.
8. To strike.
9. If need be.
10. Participation.

D.

List as many words as you can related to the following words (example: mobile–immobile, mobilité, etc.):
1. Juste. 2. Raisonnable. 3. Économique. 4. Actif.

Exercise 4

Look back at the dialogue and the accompanying agenda in the Student's Book before tackling this exercise.

Here are the notes for the minutes taken by Sériex's secretary at the meeting of the Board of Directors of the Sériex company held in Toulouse on 20/9/19..

Read them carefully, and using them as a basis write a brief account, in English, for your boss of what went on at the meeting.

```
Proc. Verb.                    Cons. Adm. 29/9/..

Prés. Mme. Lavigne
      MM. Sériex, Duvent, Malo, Lefort
      Inv. M. Melville, Cie Filturbo

Exc.  MM. Chausson, Frey

1. Accueil par Prés.
2. Proc. verb. cons. 26/7/..
   Lu et approuvé
3. Pb. proc. verb. - aucun.
4. Objet: Coop. Cie Sériex - Cie Filturbo.
   Sér. accueille Melv.
   Melv. remercie Prés.
   Projet - pl. grde coop. Sériex-Filt. - Filt. accepte.
   Sér. - proj. avec Le Caire (Arm. Air Egypt.) basé sur sup.
   tech et dél. fourn. précis.
   Si Filt. inter. - récept. march. dans dél. stricts.
   Interv. Duvent - 'régul.' à préciser.
   Interv. Malo - Contrat rend. après 2 a.
   Melv. - Peut rien prom. Peut expl. Filt.
   Interv. Lefort - rapp. synd. - patr. - aug. sal. + révision ds
   12m.
5. Divers: Nul
   Sér. - Fin Cons.
```

Extra

Reading practice

Translate into English the following *Ordre du Jour* (Agenda).

ORDRE DU JOUR

1) Rapport du Conseil d'Administration et du Commissaire

2) Approbation du bilan et du compte de pertes et profits au
   31 décembre 19.., affectation des résultats

3) Décharge à donner aux administrateurs et au Commissaire

4) Elections statutaires

5) Election d'un administrateur délégué

6) Divers

        Fait à   le

*Biffer ce qui ne convient pas

304 - 1500 - 10. 7.

Exercise 1

Choose the correct alternative from the right hand column and substitute it for the word in italic in the following sentences.

A. 1. Le vin blanc sec ou le vin rouge léger est très bon avec *le canard*.
    2. Par contre, avec *le boeuf* le vin rouge est recommandé.
    3. *Un digestif* fort est excellent après un bon repas.
    4. Il veut *des rillettes* pour commencer

    a. un pâté
    b. la volaille
    c. la viande rouge
    d. un pousse-café

B. 1. *Il faut* toujours prendre son chateaubriand bien saignant.
    2. *Il est possible de* réserver une chambre à l'avance.
    3. *Il est recommandé* de boire du Bordeaux avec le rôti de boeuf.
    4. En France, *on termine* souvent un repas avec du cognac.

    a. on peut
    b. on conseille
    c. on doit
    d. on finit

Listening practice

A. Listen several times to the restaurant dialogue in which two people are deciding what to have.

B. Now write down *vrai* or *faux* against the number of each of the following statements. This is so that you can find out how much you have picked up about French food and customs.

1. Le vin rouge léger est aussi bon que le vin blanc sec avec la volaille.
2. Le chateaubriand, c'est de la viande de porc.
3. Les cuisses de grenouilles sont un plat principal.
4. En France, on prend toujours le fromage avant le dessert.
5. Les Français préfèrent la viande bien cuite.
6. Les Français boivent du vin à tous les repas.
7. La cuisine française est une des meilleures du monde.

C. And now give the opposite (in French) of:
1. Avant.   3. Vin sec.   5. Léger.
2. Toujours.   4. Viande bien cuite. 6. Meilleur.
(You may want to look up the wine table on p. 100 of the Student's Book.)

Exercise 2 (lui/leur and word order §13.2)

A. Ecoutez: Qu'est-ce que vous avez recommandé à Victor pour commencer?
(*escargots*)
Répondez: Je lui ai recommandé des escargots.

1. Qu'est-ce que vous avez recommandé à Victor pour commencer? (*escargots*)
2. Et ensuite? (*canard*)
3. Puis, qu'est-ce que vous lui avez conseillé? (*fromage*)
4. Et ensuite? (*tarte*)
5. Pour finir, qu'est-ce que vous avez offert à Victor? (*cognac*)
6. Et enfin? (*café*)

B. Ecoutez: Qu'avez-vous offert aux Morel pour commencer? (*pâté*)
Répondez: Je leur ai offert du pâté.

1. Qu'avez-vous offert aux Morel pour commencer? (*pâté*)
2. Et ensuite, qu'est-ce que vous leur avez donné? (*canard*)
3. Qu'a-t-il recommandé à Jacques et à Victor? (*fromage*)
4. Qu'a-t-elle préparé pour les Morel? (*tarte*)
5. Qu'as-tu offert aux Melville? (*cognac*)
6. Que leur a-t-elle offert avec le cognac? (*café*)

Exercise 3 (lui/leur and word order §13.2)

Ecoutez: 1. Vous avez recommandé les escargots à Victor pour commencer,
n'est-ce pas?
Répondez: Bien sûr, je les lui ai recommandés!
Ecoutez: 2. Vous avez bien offert les escargots aux Morel, n'est-ce pas?
Répondez: Bien sûr, je les leur ai offerts!

1. Vous avez recommandé les escargots à Victor pour commencer, n'est-ce pas?
2. Vous avez bien offert les escargots aux Morel, n'est-ce pas?
3. Vous avez conseillé le camembert à Victor, n'est-ce pas?
4. Et ensuite, vous lui avez conseillé la tarte aux poires?
5. Vous avez bien donné deux bouteilles de Bordeaux aux Melville?
6. Il a bien recommandé les huîtres aux Sériex, n'est-ce pas?
7. J'espère que vous avez offert du cognac à Victor?

Reading practice

A.

OU SOUPER APRES MINUIT?

L'ALSACE AUX HALLES
OUVERT JOUR ET NUIT
14, r. Coquillière
236-74-24
Ambi. Musicale

L'ASSIETTE AU BŒUF
Michel OLIVIER
123, Ch.-Elysées
Une formule – Bœuf –
pour 19,50F s.n.c.

L'ASSIETTE AU BŒUF
22, r. G.-Apollinaire
Egl. St-Germain
Formule – Bœuf –
21F s.n.c. av. airs
T. Martini

L'AUBERGE DE RIQUEWIHR
(FOLIES BERGERE)
12, Fg Montmartre
770-62-39
cuis. Alsac.

AU PIED DE COCHON
6, rue Coquillière
CEN. 11-75
Le fameux RESTAURANT
des Halles

LA BAFRERIE
23, Bd de Clichy
(pl. Pigalle)
Manger tous les jours de midi à 2h du
matin à volonté p. 25F.

LE BAGDAD
17, faubourg MONTMARTRE
770-85-44
Couscous, paella,
méchoui. Jusqu'à 3h du mat.

CHEZ BEBERT
Spécialiste du COUSCOUS
– Toute la nuit –
18, boulevard Montmartre
770-83-42

LE BOUCANIER
11, rue Jules-Chaplain
(6e) ODE. 68-87
Spécialités françaises et
internationales.

BRASSERIE LORRAINE
Place des Ternes
Ouvert jusqu'à 2h
Son banc d'huîtres
CAR. 80-04

LA BUCHERIE
41, rue de la Bûcherie
ODE: 24-52 et 78-06
Cadre intime – Musique
classique – Bar

LA CARAVELLE
4, rue Arsène-Houssaye
ELY. 14-35 – Jour et nuit
Dîners, Soupers de 25 à 35F

LA CHAMPAGNE
10 bis pl. Clichy – 874-44-78
24h sur 24 toute l'année
Spécialités Fruits de mer,
Crustacés. F. dim.

CHARLOT
(ROI DES COQUILLAGES)
jusqu'à 1 heure du matin
12, pl. Clichy. F. lun.
874-49-64. Park. 11, r. Forest

CHARLOT 1ᵉʳ
128 bis, bd de Clichy.
522-47-08. Près Gaumont –
Park. T.l.j. Merveilles des
mers – Coqu.-poissons – J. 2hm.

LA CHOPE D'ALSACE
4, carref. de l'Odéon
326-67-76 t.l.j. Menus 18,50F
et 24F. Spécialités d'Alsace

CIEL DE PARIS
33, av. du Maine 538-52-35
Ouv. t.l.j. jus. 2h du mat.
Restaurant du 56e ét. de la Tour
Montparnasse

CLEOPATRE
23, rue Mazarine (6e)
326-87-88 Tagines, Méchoui,
couscous. T.l.j. déjeuners et dîners
d'affaires. Spécialités.

THE CLIPPER
18, bd Strasbourg – NOR 63-62
à côté du Théâtre Antoine –
Déjeuner, dîner, souper jusqu'à
2h du matin.

CLOCHE D'OR
3, rue Mansart –
874-48-88
Fermé dimanche
Sa gratinée. Dîners soupers
jusqu'à 5h

LE CLUB HOUSE
29-31, Pl. de la Madeleine
265-27-67 et 68. T.l.j.
Ouv. jour et nuit. Foie gras Landes fl.
armagnac

LA COUPOLE
102, bd Montparnasse
DAN. 95-90. Dancing au ss.-sol.
Fruits de mer – Crustacés – Spécial. de
minuit

LE CURVEUR
9, bd Demain – Face Gare du Nord.
280-34-10 et 34-74. 23F. Plateau de
fruits de mer et fromages

LE DREHER
Place du Châtelet
231-48-44 – Tous les jours
Menu 39F et carte. Cl.
Lahontan, chef cuis.

DRUGSTORE OPERA
6, bd des Capucines
POE 08-60
Crêperie – Pizzeria –
Rôtisserie – Snack

EL MARIACHI
56, rue Galilée
720-41-69. F. dim.
Sal. climat. Dîners –
Soupers. Orch; Mexicans.
Consom.

L'ENTRECOTE
Et sa fameuse sauce.
Menu 38F, vin c. 20 desserts
33, rue Verneuil 7e –
35, av. Champs-Elysées 8e

ESCARGOT MONTORGUEIL
DEJ. – DINER – SOUPER
38, rue Montorgueil
(Halles) – 236-83-51

F L O
Cadre 1900 – Fermé le dimanche.
63, Fg St-Denis – 10e – 770-13-59
La plus pittoresque brasserie de Paris

LES GAULOIS
NOS ANCETRES – 633-66-07
39, rue St-Louis-en-l'Ile.
T.l.j. Menus 6 plats, fromage, dessert.
Vin à vol. 54,50F

GARNIER
111, rue Saint-Lazare
387-50-40
Viande au feu de bois Huîtres,
Crustacés, Coquillages, Poissons

LE GAY LANDAIS
1, r. Dragon – 548-19-76
Serv. ass. jusqu. 1 h mat.
Spécialités Landaises, grand choix
d'armagnacs

GRILL DROUANT
Place Gaillon – OPE 53-72
Fruits de mer – Crustacés – Poissons

LE GRAND CAFE
4, bd Capucines. Ope 47-45
OUVERT JOUR ET NUIT
Le réputé restaurant de l'Opéra

GRAND PAVILLON
L'ECAILLER de RUNGIS
Face Pav. de la Marée
726-98-58. F. dim.

GUS
157, r. Montmartre – 236-68-40
Ouv. le dim. Ambiance piano
mécanique – Huîtres, coquill.
Cadre 1900. Déj., din., soup.

GUY
SOUPER BRESILIEN
6, Rue Mabillon, Paris 6e
ODE 87-61
(Saint-Germain-des-Prés)

CHEZ HANSI
(MONTPARNASSE)
Cuisine Alsacienne
3, Place du 18-juin-1940 548-96-42

MAISON DE L'IRAN
67, Champs-Elysées
256-34-12
3.000 kilos de caviar – Air conditionné

LA MAMMA
25, rue Marbeuf – 225-08-40 et
92, av. de-Gaul., Neuilly 637-55-88
Spécialités italiennes.
Ouvert jusqu'à 2h. mat.

MARE NOSTRUM
128, rue de LA BOETIE
ALM. 20-00
Le talent de DENIS

LA MARMITE
4, av. de Bourgogne RUNGIS
(près la Marée). 686-48-43
Sa gratinée des Halles
Ouv. tte la nuit. F. dim.

MENDIGOTTE
80, qu. Hôtel-de-Ville
ARC. 19-76 de 20h à l'aube –
SPECIALIT. Vue panoramique
sur la Seine et l'Ile St-Louis

Read through the advertisements for places where you can eat after midnight.
Check that the vocabulary and abbreviations are clear by going through the
following lists:

vocabulary			*abbreviations*	
Fruits de mer	:	Seafood	S.n.c.	: Service non compris
Coquillages	:	Shellfish	T.l.j.	: Tous les jours
Homard	:	Lobster	Ouv.	: Ouvert
Langouste	:	Crayfish	Jus.	: Jusqu'à
Huîtres	:	Oysters	Serv. ass.	: Service assuré
Crustacés	:	Shellfish	F.	: Fermé
Méchoui	:	Meat cooked over open fire (N. African)	Vin c.	: Vin compris
Couscous	:	Special N. African dish with semolina		
Tagines	:	N. African stews		

B. Now test yourself to make sure you really have understood.
1. Where would you go if you wanted to eat 'couscous'?
2. Where would you go it you wanted to eat seafood?
3. Where would you go if you wanted to enjoy music while you ate?
4. Where would you go for a pre-first world war setting and atmosphere?
5. Where would you go for food from Alsace?
6. Where would you go for Italian specialities?
7. Where would you go if you wanted to eat pancakes?

Exercise 4 (hobbies)

When meeting people in France it is useful to be able to talk about your leisure interests.

A. Here is a list of interests. Make sure you know what each one means.

Les Arts	*Les Sports*	*Divers*
la danse	le football	la lecture
la musique	le rugby	la cuisine
le théâtre	le tennis	le crochet
le cinéma	le ping-pong	le tricot
la peinture	la natation	le bricolage
le dessin	l'athlétisme	le jardinage
la photographie	le hippisme	la couture
	l'alpinisme	la télévision
	la marche	
	la pétanque	
	le yachting	

B. You may hear people refer to any of these interests in conversation. Which are the interests or sports referred to in the following descriptions or definitions?

1. Escalader les montagnes.
2. Jeu de boules très populaire dans le midi de la France.
3. On l'appelle aussi le tennis de table.
4. Faire à bon marché en amateur ce qu'on paie très cher à un professionnel.
5. Certains disent que c'est un véritable art! La française est très appréciée de par le monde.
6. On a besoin de onze joueurs et on ne peut pousser la balle qu'avec le pied.
7. L'art de faire les vêtements.
8. L'art dont Hollywood était la capitale.
9. On s'en plaint sans cesse mais on la regarde toujours.

La soirée

Exercise 1 (tenses)

Fill in the correct tense of the verb according to the context, as in the following example.

Exemple: Autrefois il ...... souvent en Suisse, mais maintenant il n'y va plus.
　　　　　Autrefois il allait souvent en Suisse, mais maintenant il n'y va plus.

1. Autrefois il ...... souvent '*Chez Jules*', mais maintenant il n'y mange plus.
2. Hier elle ...... avec Pierre, mais ce soir elle sort avec Paul.
3. Demain je ...... à Londres, mais maintenant je téléphone à New York.
4. Maintenant je ...... du Pernod et plus tard je prendrai du whisky.
5. Quand j'étais plus jeune, je ...... souvent le soir, mais maintenant je ne sors plus.
6. La semaine dernière il ...... à la foire de Paris, la semaine prochaine il ira à la foire au vin à Bordeaux.
7. Hier je ...... tard, mais ce soir je vais dormir tôt pour me lever tôt demain.
8. Ce soir ils ...... au restaurant pour fêter le contrat, car demain ils iront à la soirée chez les Saville.
9. Autrefois elle ...... se promener seule au Luxembourg, mais maintenant elle n'aime plus cela.
10. Maintenant je ...... à Air France, mais autrefois je travaillais à la SNCF.

Exercise 2 (imperfect tense §14.2)

Using the table below, write out what Jacques used to do as a student.
(For some sentences you will need words out of only two columns.)
Exemple: Il se levait à 9h.

se lever	cours	université
aller	bière	café '*La Sorbonne*'
suivre	billard	jardins du Luxembourg
boire	sandwich	restaurant universitaire
jouer	radio	chez lui
se promener	disques	à 20h.
rentrer	journal	à 9h.
manger		
écouter		
lire		

Exercise 3

Complete the following sentences so that they make sense.

1. J'irais au théâtre ......
2. Il irait au restaurant le plus cher ......
3. Elle ne travaillerait plus ......
4. Il voyagerait partout ......
5. Nous boirions tout le vin ......
6. Je serais heureuse ......
7. Elles ne seraient pas mariées ......
8. Elle irait à Nice ......
9. Vous ne travailleriez plus ......
10. Elle resterait chez elle ......

a. si elle avait le choix.
b. si vous étiez riche.
c. si elles avaient un bon métier.
d. si nous le pouvions.
e. s'il n'était pas marié.
f. si elle était malade.
g. s'il avait de l'argent.
h. si je ne travaillais pas tous les jours.
i. si elle avait des vacances.
j. si j'avais des billets.

Exercise 4

A. First listen to the account, in the third person, of Victor's evening and take notes.

B. Now play the role of Victor, prompted by these questions.

1. Qu'est-ce que vous avez fait hier soir, Victor?
2. Très bien! Et comment était le buffet chez les Saville?
3. Je vois. Et qu'est-ce que vous avez mangé?
4. Et en mangeant, qu'est-ce que vous avez bu?
5. Comment était le champagne?
6. Vous en avez de la chance! Avec qui avez-vous bavardé?
7. Vous connaissiez Mme Saville?
8. Et dites-moi, à quelle heure êtes-vous parti de chez les Saville?
9. Vous êtes rentré en métro?
10. Et à quelle heure êtes-vous arrivé à votre hôtel?
    Mais, dites donc, Victor, c'est la grande vie que vous menez!

Exercise 5 (conditional tense §14.4)

Victor is asked what he would do if he were not married.
Following the example given below, play the role of Victor, and say what you would do.

Ecoutez: Victor, que feriez-vous si vous n'étiez pas marié?
           (*Voyager en Europe.*)
Répondez: Je voyagerais en Europe.

1. Victor, que feriez-vous si vous n'étiez pas marié? (*Voyager en Europe.*)
2. Et encore? (*Acheter un bateau.*)
3. Et où habiteriez-vous? (*Habiter à Paris.*)
4. Et que feriez-vous à Paris? (*Sortir avec Mlle Lebret.*)
5. Dîtes donc Victor, si vous n'étiez pas marié, que mangeriez-vous? (*Manger de l'ail à tous les repas.*)
6. Et que boiriez-vous? (*Boire du champagne à tous les repas.*)
7. Travailleriez-vous? (*Travailler très peu.*)
8. Pas d'autre ambition? (*Etre Premier Ministre.*)

Listening practice

A. Listen to this dialogue in a bank between Victor and a bank employee.

B. And now play the role of Victor.
1. EMPLOYÉE – C'est pour changer de l'argent?
   VICTOR   – . . . . . .
2. EMPLOYÉE – Oui?
   VICTOR   – . . . . . .
3. EMPLOYÉE – Vous avez une carte?
   VICTOR   – . . . . . .
4. EMPLOYÉE – Eh bien, pas de problèmes, c'est parfait.
   VICTOR   – . . . . . .
5. EMPLOYÉE – Non, c'est inutile. Et voilà, passez à la caisse, s'il vous plaît.
   VICTOR   – . . . . . .

C. Now write down the French for:

1. To change money.
2. To cash a cheque.
3. The cash-desk.

4. It is possible to.
5. A card.
6. It is unnecessary.

Reading practice

Look carefully at the advertisement for the *Société Générale*.

1. What is the *Société Générale*?
   a. A building society.
   b. A bank.
   c. A savings bank.

2. Where is it situated?
   a. Place de l'Opéra.
   b. Behind the Opéra.
   c. Next to the Café de la Paix.

3. Where is its head office?
   a. 91 Avenue des Champs-Elysées.
   b. 27 Boulevard Haussmann.
   c. 29 Boulevard Haussmann.

4. When is it open?
   a. Every day and night of the week.
   b. From Monday to Friday only.
   c. From Monday to Saturday morning.

5. When is the agency at Orly airport open?
   a. Every day and night of the week.
   b. From Monday to Friday only.
   c. From Monday to Saturday morning.

SOCIÉTÉ GÉNÉRALE

BANQUE FONDÉE EN 1864 – CAPITAL F 250 MILLIONS
SIÉGE SOCIAL: 29, Boulevard Haussmann, PARIS

CHANGE CHÈQUES DE VOYAGE LETTRES DE CRÉDIT BANQUE

A PARIS: Guichets ouverts du lundi au vendredi inclus
ET
le samedi matin pour le change

**AGENCE CENTRALE: 27, Boulevard Haussmann
AGENCE AJ: 91, Avenue des Champs–Elysées**

Et en permanence nuit & jour, dimanche compris

à l'AGENCE D'ORLY–AÉROGARE

Reading practice

A. You are with a group of English friends in Paris. One of you (who speaks French quite fluently) has bought '*L'Officiel des Spectacles*' and has picked out some films you might go and see. The others are asking him questions about them. Write down the answers.

1.

a. Who is the director?
b. Is it in English? (*v.o.* means *version originale*)
c. Where is it on?
d. What kind of a film is it?

C ⊙⊙ **ANNIE HALL.** — Amér., coul (77). Comédie satirique, de W. Al len : Un comique professionnel, profon dément pessimiste, s'interroge sur le dé part de son amie. Avec Woody Allen Diane Keaton, Tony Roberts, Caro Kane. STUDIO CUJAS 5ᵉ (v.o.).

2.

a. What is the film called?
b. Can anyone go to see it?
c. Where does the action take place?
d. When was the film made?

> **S** □ **EMMANUELLE 2.** — Franç., coul. (75). Film érotique, de F. Giaco-betti : De nouvelles aventures d'Emma-nuelle, cette fois à Hong Kong. Avec Sylvia Kristel, Umberto Orsini, Cathe-rine Rivet, Frédéric Lagache. CAPRI 2e.

3.

a. What is the film called?
b. Whereabouts in Paris is it on?
c. What kind of film is it?
d. Is it a French production?

> **P** △ **TEMOIN (LE).** — Franco-ital., coul. (78). Drame de mœurs, de J.-P. Mocky : Le viol et l'assassinat d'une fillette, en province. Faute de livrer le coupable, un innocent se retrouvera in-culpé du crime... Avec Alberto Sordi, Philippe Noiret, Roland Dubillard, Paul Crauchet. ELYSEES POINT SHOW 8e.

B. And now write a note for your French friend explaining which film you hope to see if you have the chance and why you've chosen it.

□ Interdits aux moins de 18 ans
△ Interdits aux moins de 13 ans

♦ Recommandés aux très jeunes
☯ Label « Chouette » (adolescents)

EXPLICATION	**A** Aventure	**F** Fantastique Fiction	**O** Comédie dramatique
DES SIGNES	**B** Biographie	**G** Guerre	**P** Policier Espionnage
	C Comédie	**H** Historique	**S** Erotisme
GENRE	**D** Drame	**J** Dessin animé Vie animaux	**W** Western
DES FILMS	**E** Epouvante	**M** Comédie musicale	**X** Divers

Le départ

Exercise 1

By choosing in each case a sentence or phrase from column 1, 2 or 3, make up a suitable letter of thanks to your French colleague Philippe Poiret. The letter is both professional and friendly, with references to the places you visited and the good food you ate. End the letter by expressing once more your hope that your French colleague will soon be able to come to London.

1	2	3
a. Monsieur	Cher M. Poiret	Cher Philippe
b. Quand viens-tu à Londres?	Merci encore pour tout ce que vous avez fait pour moi.	Ca va chez toi?
c. Je n'oublierai jamais ni votre accueil, ni votre hospitalité.	Veuillez me communiquer la référence de votre dernière commande.	Tu te souviens de Jacqueline?
d. J'ai gardé un souvenir inoubliable de tout ce que j'ai visité avec vous et votre charmante femme.	Nous vous prions de bien vouloir remplir le formulaire suivant.	Mon avion arrivera à Orly à 18h.40.
e. Tu n'es pas fou, non?	Merci encore pour votre aide et coopération en matières commerciales et techniques.	Si l'offre vous intéresse veuillez nous le faire savoir aussitôt que possible.
f. Franchement, je n'ai pas aimé votre femme.	Nous vous envoyons des exemplaires gratuits de nos derniers modèles.	J'espère que vous viendrez à Londres très bientôt avec votre femme.
g. Avez-vous reçu notre dernière lettre en date du 12/1/..?	J'espère que vous viendrez bientôt à Londres sans votre femme.	Je serai très heureux de vous rendre la pareille.
h. J'ai beaucoup aimé les escargots que votre femme a cuisinés.	Entre nous, le restaurant où nous sommes allés, c'était vraiment mauvais.	Franchement, j'ai détesté vos escargots.
i. Notre représentant vous rendra visite très bientôt.	Remerciez votre femme de ma part pour sa gentillesse à mon égard.	Merci, tu es très gentil.
j. Bon, je n'ai plus rien à te dire, alors salut!	Veuillez agréer, cher M. Poiret, mes sincères salutations.	Cher Philippe, à très bientôt j'espère. Amicalement.
k. Michael	Michael Stone, Sales Manager	M. Stone

Exercise 2

You had some practice in making up telegrams in Unit 5. Here is some more.

A. Send a telegram in French announcing that you will be arriving on Wednesday 18th January at Roissy Airport at 9.10 by flight BA 031.

Extra

B. Send a telegram proposing to reduce the price of your products by 12%. State that it is exceptional but that you have developed new techniques which allow you to do so.

Exercise 3

'Read' the pictures in sequence, and you will find that the first letters of the French words denoting the objects or places illustrated will spell out a message and will tell you who is going where and when!

🎧 Listening practice

Here is some practice in the essential skill of taking down prices, telephone numbers and other items of vital information.

A. Write down the prices, times and telephone numbers you hear on the cassette.

B. Now listen carefully to the three different lots of information that are given on the phone. Note down the essential information.

C. Write down the French for:

1. A return ticket.
2. A single ticket.
3. A first class ticket.
4. A second class ticket.
5. Both.
6. A room with shower.
7. Per day.
8. Something less expensive.
9. Full board.
10. About ten days.
11. To spell.
12. Extension.

Extra

Reading practice

Look at the advertisement below. You may not understand every word but you will now know enough French to extract the following information from it.

Hôtel Sheraton.
Des boutiques, des restaurants, des jardins, entre votre chambre et Montparnasse...

"Le Montparnasse 25", une table gastronomique dans un décor des "années folles", "Le Corail", un bar feutré où il fait bon s'attarder, "La Ruche", un restaurant à service rapide et permanent (de 7 h. à 23 h.), des chambres vastes et silencieuses dominant Paris (équipées d'un bar, d'un téléphone direct, de chaînes couleur et de programmes de films sur TV), des salles de réceptions et de conférences, 2.500 places de parking.
Confort, calme, détente...
Voilà ce que vous offre l'Hôtel Sheraton, au milieu de ses pelouses et jardins...
... en plein cœur de Montparnasse.

Pour réserver:
260.35.11

Paris-Sheraton Hotel
SHERATON HOTELS AND INNS, WORLDWIDE
AVENUE DU MAINE - RUE DU COMMANDANT MOUCHOTTE TELEX 200135

1. If you wanted a late snack, where would you go?
   a. Le Montparnasse 25.
   b. La Ruche.
   c. Le Corail.

2. If you wanted a really good meal, where would you go?
   a. Le Montparnasse 25.
   b. La Ruche.
   c. Le Corail.

3. If you wanted a drink, where would you go?
   a. Le Montparnasse 25.
   b. La Ruche.
   c. Le Corail.

4. What does each room have?
   a. Telephone and TV.
   b. Telephone only.
   c. Telephone, TV and bar.

5. What kind of hotel is it?
   a. A small, cheap hotel.
   b. A big, luxurious hotel.
   c. A good class hotel without a restaurant.

Answers to Exercises and Tests

Unit 1

Please note that where English summaries have been given, these are obviously not definitive; they are provided as examples of the kind of summary you should give for an answer.

Ex. 1 (le/la)

1. Mlle Lebret, c'est la secrétaire.
2. M. Melville, c'est le sous-chef des ventes.
3. M. Morel, c'est le sous-chef des achats.
4. M. Sériex, c'est le client.
5. Mlle Dubois, c'est la téléphoniste.
6. M. Leboeuf, c'est l'expert-comptable.
7. Mme Leroy, c'est la secrétaire de direction.
8. M. Saville, c'est le PDG.

Ex. 2 (c'est . . .)

1. a. C'est Victor Melville.
   b. C'est le sous-chef des ventes.
2. a. C'est Jacques Morel.
   b. C'est le sous-chef des achats.
3. a. C'est M. Sériex.
   b. C'est le client.
4. a. C'est Mme Leroy.
   b. C'est le secrétaire de direction.
5. a. C'est M. Leboeuf.
   b. C'est l'expert-comtable.
6. a. C'est M. Saville.
   b. C'est le PDG.
7. a. C'est Mlle Dubois.
   b. C'est la téléphoniste.
8. a. C'est M. Legras.
   b. C'est le sous-chef des ventes.

Ex. 3 (c'est . . .)

1. Oui, c'est la secrétaire.
2. Oui, c'est la téléphoniste.
3. Oui, c'est le client.
4. Oui, c'est le sous-chef des achats.
5. Oui, c'est l'expert-comptable.
6. Oui, c'est le sous-chef des ventes.

Ex. 4

1. Je vous souhaite la bienvenue, M. Melville!
2. Je vous souhaite la bienvenue, M. Sériex!
3. Je vous souhaite la bienvenue, Mlle Lebret!
4. Je vous souhaite la bienvenue, Mlle Dubois!
5. Je vous souhaite la bienvenue, M. Leboeuf!
6. Je vous souhaite la bienvenue, M. Morel!

Listening practice

LÉPISSIER	David, je vous présent Mlle Rude, ma secrétaire.
NORTON	Enchanté, Mademoiselle!
MLLE RUDE	Enchantée, Monsieur!
LÉPISSIER	Et voici Jean-Paul Chabrier, notre sous-chef des achats . . . Jean-Paul, M. David Norton de Coventry.
NORTON	Enchanté, Monsieur!
CHABRIER	Tout le plaisir est pour moi, M. Norton!
LÉPISSIER	Et voici Marie-Anne, la téléphoniste.
NORTON	Enchanté, Mademoiselle!
MARIE-ANNE	Enchantée, Monsieur.
LÉPISSIER	Pierre! Viens ici un moment . . . Pierre, c'est l'expert-comptable . . . Pierre, je te présente M. David Norton de la Cie Reynolds Systems Ltd.
PIERRE	M. Norton, enchanté de faire votre connaissance! Dites-moi, vous êtes de Birmingham, n'est-ce pas?
NORTON	Non, je suis de Coventry.
PIERRE	Ah, mais oui! Eh bien, M. Norton, je vous souhaite la bienvenue à Lyon!

1. b   2. b   3. b   4. a   5. b   6. b

C. 1. Là secrétaire.
2. La téléphoniste.
3. L'expert-comptable.

4. Le sous-chef des achats.
5. Je vous présente . . .
6. Je vous souhaite la bienvenue!

Recap

Picture 1. Entrez!
Picture 2. Bonjour, Mademoiselle!
Picture 3. Je suis de Londres.
Picture 5. Très bien merci, et vous?
Picture 7. Enchanté, Monsieur!
Picture 9. Et vous, vous êtes de Toulouse, n'est-ce pas?

Unit 2

Ex. 1 (un/une)

Garçon! Je voudrais une limonade. Et pour moi un café bien fort, s'il vous plaît. Vous fumez? Une cigarette? C'est vrai, vous avez un bistro tout près de chez vous? C'est pratique, ça! Pardon? Un cigare? Non, je suis désolé, je n'en ai pas! Autre chose? Garçon! Une bière et un whisky, s'il vous plaît.

Ex. 2 (agreement of adjectives)

1. c 2. d 3. b 4. a 5. e 6. f

Recap

Picture 2. Mme Melville est Suisse.
Picture 3. Mme Melville parle aussi l'allemand et l'italien.
Picture 5. Jacques dit: 'Qu'est-ce que vous prenez?'
           Victor dit: 'Je prends une bière.'
Picture 6. Jacques dit: 'Garçon! Deux bières, s'il vous plaît.'
Picture 7. Jacques fume quelquefois des cigarettes anglaises.
Picture 8. Jacques préfère les cigarettes françaises parce que le tabac brun est fort.
Picture 9. Le garçon dit: 'Deux bières . . . Huit francs tout compris.'
Picture 10. Victor travaille à Londres et habite à Wembley.

Ex. 3 (un/une)

A. 1. Jacques fume un cigare et boit une bière.
2. Mireille fume une cigarette et boit un muscat.
3. Victor fume une cigarette anglaise et boit une orange pressée.
B. 1. Mlle Lebret préfère le porto.
2. M. Saville préfère le café.
3. M. Leboeuf préfère le cigare.

Ex. 4 (present tense)

1. Non, je prends un Cinzano.
2. Non, je prends un whisky.
3. Non, je prends un coca-cola.
4. Non, je prends un thé.
5. Non, je prends un Pernod.
6. Non, je prends une limonade.

Ex. 5 (agreement of adjectives)

1. Je préfère le tabac brun.
2. Je préfère la bière blonde.
3. Je préfère le tabac fort.
4. Je préfère la bière légère.
5. Je préfère les cigarettes anglaises.
6. Je préfère le café léger.

Listening practice

A. PHILIPPE   Tiens Michel! Quelle surprise!

     MICHEL   Ça alors, Philippe! Mais qu'est-ce que tu fais là?

     PHILIPPE   Qu'est-ce que je fais là? Mais c'est mon café habituel! Allez va, je t'invite! Qu'est-ce que tu prends?

     MICHEL   Un whisky, s'il te plaît.

     PHILIPPE   Garçon! Deux whiskys, s'il vous plaît.

     GARÇON   De l'eau, des glaçons?

     MICHEL   Pas d'eau surtout, des glaçons, oui.

     PHILIPPE   Et pour moi, pur, sans rien.

     GARÇON   Bien, Monsieur!

     PHILIPPE   Alors, tu habites Paris maintenant?

     MICHEL   Non, je suis seulement de passage à Paris . . . Je pars demain.

     PHILIPPE   Eh bien, la prochaine fois, téléphone-moi! On déjeunera ensemble!

     MICHEL   Avec plaisir!

B. 1. a   2. b   3. b   4. b   5. a   6. b   7. a   8. a

C. Michel et Philippe sont au 'Chien qui Fume'. C'est le café habituel de Philippe. Michel prend un whisky avec des glaçons. Philippe prend un whisky pur. Philippe invite Michel à dèjeuner la prochaine fois au bistro.

D. 1. Quelle surprise!
     2. Qu'est-ce que tu prends?
     3. Je t'invite la prochaine fois.
     4. Sans rien.

Reading practice

1. a   2. b   3. b   4. b   5. b   6. a

Unit 3

Ex. 1 (mon/ma)

1. Voilà une serviette.
   C'est ma serviette.
2. Voilà une cigarette.
   C'est ma cigarette.
3. Voilà un manteau.
   C'est mon manteau.
4. Voilà une clef.
   C'est ma clef.
5. Voilà une maison.
   C'est ma maison.
6. Voilà un cigare.
   C'est mon cigare.

Ex. 2 (avoir)

1. Il a une maison.
2. Elle a une fille.
3. Ils ont des enfants.
4. Vous avez une voiture.
5. Nous avons un fils.
6. J'ai un bistro.

Ex. 3 (agreement of adjectives)

1. d   2. c   3. e   4. f   5. b   6. a

Recap

Picture 1.   Jacques cherche sa clef.
              Jacques et Victor sont en retard.
Picture 2.   Jacques et Mireille mangent toujours à midi.
Picture 5.   Jacques dit: 'M. Melville de Londres, Victor, voici ma femme Mireille.'
Picture 8.   Victor dit: 'Un Ricard, qu'est-ce que c'est?'
              Jacques dit: 'C'est une anisette.'
              Victor dit: 'Je préfère un Cinzano.'
Picture 11. Victor dit: 'L'impôt sur l'alcool est très élevé.'
Picture 15. Victor dit: 'J'ai trois enfants, un fils et deux filles.'
Picture 16. Victor dit: 'Mes deux filles vont à l'école. Mais mon fils est déjà au lycée.'
Picture 18. Victor dit: 'Mme Melville travaille à mi-temps, surtout le matin.'

Ex. 5 (au/à la/à l')

1. Je suis à l'appartement.
2. Ils vont au bureau.
3. Elle est à la maison.
4. Je suis au bistro.
5. Elles vont au lycée.
6. Nous sommes à l'hôtel.

Ex. 6 (avoir)

1. J'ai un appartement.
2. Il a une bicyclette.
3. Elle a une fille.
4. J'ai trois chambres.
5. Ils ont une salle d'eau.

Reading practice

C. Quartier Latin – Refait neuf, 4 pièces, cuisine, salle de bain, 5ème étage. Prix: 1000F + charges – 337-69-95

16ème – Neuf, luxueux, soleil, téléphone. 4 pièces 1000m^2. 2450F + charges – 344-59-73

St. Cloud – Immeuble neuf, 3 pièces, cuisine équipée, salle de bains, w.c., chauffage central, téléphone, moquette, parking, 3ème étage, ascenseur. Prix: 1800F + charges – 747-55-00

St. Germain – Studio, salle d'eau, petite cuisine, 6ème étage. Prix: 300F charges comprises.

Pte d'Orléans – 3 pièces, cuisine, salle de bains, w.c., téléphone. 1550F – 577-21-21

St. Cloud – 4 pièces, refait neuf, cuisine, salle d'eau, téléphone, 3ème étage. Prix: 2400F charges comprises. 747-68-92

Latin Quarter – modernised, 4 rooms, kitchen, bathroom, 5th floor. 1,000F per month plus services. Tel: 337 6995

16ème (arrondissement) – new, luxury, sunny flat, telephone, 4 rooms 1000m^2. 2,450F plus services. Tel: 344 5973.

St. Cloud – new block of flats, 3 rooms, fitted kitchen, bathroom, w.c., central heating, telephone, fitted carpet, parking facilities, 3rd floor, lift. 1,800F per month services included. Tel: 747 5500.

St. Germain – bachelor flat, shower, small kitchen, 6th floor. 300F per month services included

Porte d'Orléans – 3 rooms, kitchen, bathroom, w.c., telephone. 1,150F per month. Tel: 572 2121

St. Cloud – 4 rooms, modernised, kitchen, shower, telephone, 3rd floor. 2,400F per month services included. Tel: 747 6892

D.
1. Un garçon de café.
2. Chercher.
3. Un appartement.
4. Un étudiant.
5. Un célibataire.
6. Un studio.
7. Il travaille à mi-temps.
8. Elle est professeur d'anglais.
9. Il travaille pour la Société B.
10. Elle gagne 2000F par mois.

Unit 4

Ex. 1 (aller)

1. Elle va à Paris.
2. Ils vont aux Champs Elysées.
3. Je vais au restaurant.
4. Tu vas au cinéma.
5. Nous allons à Orly.
6. Vous allez à Opéra.

Ex. 2 (future: aller + infinitive)

B. 1. Demain Sabine va téléphoner à Londres.
2. Puis elle va taper une lettre pour la Cie Sériex.
3. Ensuite elle va acheter un billet pour Victor.
4. L'après-midi elle va payer l'amende de Jacques.
5. Puis elle va réserver une table 'Chez Jules'.
6. Le soir elle va aller voir 'Carmen' à l'Opera à 21 heures.

Recap

Picture 1 Victor cherche son billet dans la poche de son manteau, puis dans son porte feuille.
Picture 3 Victor ne trouve plus son billet.
Il est perdu.
Picture 4 Victor va à Opéra.
Picture 5 Le contrôleur et Victor vont au bureau du chef de station.
Picture 8 Le contrôleur dit: 'Monsieur voyage en 1ème classe.'
Picture 9 Le chef de station prend le nom et l'adresse de Victor.
Victor habite à l'hotel Buckingham, rue des Mathurins dans le 8ème.
Picture 10 Victor n'est pas touriste. Il est homme d'affaires.
Picture 11 Le chef dit: 'Mais souvenez-vous, la prochaine fois, c'est une amende.'

Ex. 3

1. Il est dans le métro.
2. Il est à la maison.
3. Il est à l'usine. / Il est au bureau.
4. Il est au restaurant.
5. Il est au café. / Il est au bistro.
6. Il est au Quartier Latin.

Ex. 4 (ne . . . plus)

1. Non, il ne préfère plus les blondes.
2. Non, ils n'habitent plus à Paris.
3. Non, elle ne travaille plus à Aviagence.
4. Non, je ne fume plus le cigare.
5. Non, il ne boit plus.
6. Non, je ne suis plus au lycée.

Ex. 5 (il faut)

1. Alors, il faut descendre à Opéra.
2. Alors, il faut changer à Châtelet.
3. Alors, il faut préparer les passeports.
4. Alors, il faut tenir la droite.
5. Alors, il faut acheter un billet.
6. Alors, il faut regarder le plan.

Reading practice

1. Sortie.
2. Billets.
3. Direction.
4. Fumeurs.
5. 1ème classe.
6. Accès au Quai.
7. Distributeur Automatique.
8. Arrière des trains.

Unit 5

Ex. 1 (c'est/ce sont)

1. C'est une lettre exprès.
2. Ce sont des cartes postales.
3. C'est un jeton.
4. Ce sont des affiches.

5. C'est un télégramme.
6. Ce sont des livres.
7. C'est un mandat.
8. Ce sont des stylos.

Recap

Picture 1.   Sabine est seule pour le moment, parce que sa collègue est en vacances au Portugal.

Picture 3.   Victor fait la queue pour acheter des timbres pour deux lettres et une carte postale.

Picture 4.   Hier, Victor a parlé au téléphone avec M. Sériex.

Picture 5.   Victor va visiter l'usine de M. Sériex à Toulouse.

Picture 7.   Hier, Victor a travaillé tard et après il a mangé de bon appétit et il a bien bu.

Picture 10.   L'employée n'a plus de timbres de collection.

Picture 12.   Tout à l'heure, Victor a oublié son parapluie au café, maintenant il oublie sa serviette à la poste.

Ex. 2

Arrive demain matin Roissy 10.05. Vol AF 702. Baisers. Marie.

Ex. 3

1. Toulouse, c'est une grande ville industrielle.
2. J'ai mangé dans un de vos fameux petits restaurants.
3. Je suis dans la bonne queue, n'est-ce pas?
4. Il a acheté des timbres de collection.
5. C'est un télégramme urgent.
6. Allez dans la cabine interurbaine.

Ex. 5 (ne plus . . . de)

1. Non, il n'a plus de voiture.
2. Non, elle n'a plus de mari.
3. Non, ils n'ont plus de maison à Toulouse.
4. Non, je n'ai plus de travail.
5. Non, elle n'a plus d'enfants.
6. Non, je n'ai plus de jetons.

Ex. 6 (perfect tense)

1. Non, j'ai mangé au restaurant hier.
2. Non, elle a travaillé hier.
3. Non, il a déjeuné chez sa mère hier à midi.
4. Non, j'ai téléphoné à ma compagnie hier après-midi.
5. Non, elles ont fumé le cigare hier pour la première fois.

Ex. 7 (en/au/aux)

A.
1. Sabine est en vacances en Italie.
2. Jacques va bientôt aller en Irlande.
3. Ses parents habitent aux Etats-Unis.
4. Elle a visité la ville de Porto au Portugal.
5. Je vais aller en vacances au Luxembourg.

B.
1. Caernavon est au Pays de Galles.
2. Moscou est en Russie.
3. Le Monstre du Lochness est en Ecosse.
4. Guernica est en Espagne.
5. Ajaccio est en Corse.

Unit 6

Ex. 1

1. Elle vend 2 timbres à la téléphoniste.
2. Elle vend 5 enveloppes au contremaître.
3. Elle donne 3 jetons à la vieille dame.
4. Il donne un parapluie aux enfants.
5. Je vends 6 cartes postales à la secrétaire.

Ex. 2

Cher Jacques,

Hier, j'ai visité l'usine Sériex. J'ai rencontré M. Tatti, le contremaître. Après 5 minutes,
M. Sériex a en un coup de téléphone urgent du Caire. La production de l'usine est de 16 avions
environ. Ils vendent pas mal d'avions aux pays arabes.

Amicalement
Victor

Recap

Picture 4.   Victor n'a jamais visité les ateliers de M. Sériex.
Picture 5.   Victor et M. Sériex vont d'abord au hangar.
Picture 6.   M. Sériex présente M. Tatti, le contremaître, à Victor.
Picture 9.   M. Tatti montre 'Le Faucon' à Victor.
Picture 11. L'usine Sériex fabrique seulement le fuselage. La voilure, le moteur –
             tout ça est fabriqué ailleurs.
Picture 12. L'usine Sériex a une production de seize avions par an.
             L'année dernière, ils ont vendu pas mal d'avions aux pays arabes.

Ex. 3 (perfect tense)

1. Non, j'ai travaillé à l'usine.
2. Non, j'ai visité le hangar.
3. Non, j'ai mangé au restaurant.
4. Non, j'ai bu deux bières.
5. Non, j'ai téléphoné à Paris.

Ex. 4 (future: aller + infinitive)

1. Je vais aller à l'usine.
2. Ensuite, je vais visiter le hangar.
3. Puis, je vais manger au restaurant.
4. Je vais boire deux bières.
5. Le soir, je vais téléphoner à Paris.

Ex. 5 (possessive adjectives)

M. et Mme Durand sont à l'aéroport. M. Durand a trouvé un chariot, alors il met ses bagages
sur le chariot. Mme Durand ne veut pas mettre son sac à main sur le chariot. Quelques minutes
plus tard, Mme Durand met son manteau sur le chariot. Ils sont au contrôle des passeports.
M. Durand s'affole! Il ne trouve plus son passeport! Mme Durand dit: 'Regarde dans ton
portefeuille!' M. Durand cherche dans son portefeuille – pas de passeport! Alors, il cherche dans
sa poche. Ouf! Il trouve enfin son passeport.
   Ils arrivent maintenant à la douane. Le douanier dit à M.Durand: 'Ouvrez votre valise, s'il
vous plaît.' M. Durand cherche ses clefs de valise. Il cherche dans sa poche gauche, dans sa
poche droite, dans sa veste, dans son manteau – rien! Pas de clefs! 'Ernestine, regarde dans ta
poche, s'il te plaît.' Mme Durand regarde dans sa poche – rien! Pas de clefs! 'C'est sûrement
dans ton portefeuille' dit Mme Durand. M. Durand cherche dans son portefeuille et il trouve
enfin ses clefs. Il ouvre sa valise. Le douanier regarde dans la valise. Rien. Quelques minutes
plus tard M. Durand s'écrie: 'Ouf! Il n'a pas trouvé nos cigarettes! Mme Durand dit: 'Pas nos
cigarettes, tes cigarettes!'
   Ils arrivent enfin à l'hôtel. 'Ce sont vos bagages? Bien. Alphonse, monte les bagages!' – 'A quel
étage est notre chambre?' demande M. Durand. 'Votre chambre est au deuxième étage. C'est la

chambre No 6.' Dans la chambre No 6, Mme Durand, épuisée, dit: 'Chéri, donne-moi ma serviette, s'il te plaît. Elle est dans ma valise.' M. Durand répond: 'Oui, tout de suite!' Il cherche ses clefs de valise. Rien! Pas de clefs! 'Mes clefs, j'ai perdu mes clefs!' s'ércie-t-il. Mme Durand hausse les épaules et dit: 'Du calme! Du calme! Tu as mis tes clefs dans la poche gauche de ta veste.' M. Durand cherche dans la poche gauche de sa veste et dit: 'Ouf! C'est vrai. Mon Dieu, quelles émotions! – Non, non, ça ne marche pas! Ce ne sont pas les bonnes clefs! Zut, alors le douanier ne m'a pas rendu mes clefs!'

Listening practice

A. Les passagers du vol AF 506 à destination de Rome sont priés d'aller directement au contrôle des passeports, puis au contrôle de la douane. Embarquement immédiat, porte No 15.

B. 1. a 2. b 3. a 4. b 5. a

C. 1. Le contrôle des passeports.
    2. Un vol.
    3. Un passager.
    4. Le vol en direction de Rome.
    5. La douane.
    6. Embarquement immédiat.

Tapescript for Extra: Listening practice

Votre attention s'il vous plaît! A cause d'une grève surprise de notre personnel à terre, nous nous trouvons dans l'obligation d'annuler les vols BA 802, AF 806 et AF 203 à destination de Londres. Tous les passagers sont priés de se présenter au bureau de renseignements où on leur donnera une chambre pour la nuit sur présentation de leur billet d'avion.

Unit 7

Ex. 1 (future)

B. 1. Demain Victor sera au bureau à 8h.
    2. A midi il mangera au restaurant.
    3. Après déjeuner il retournera à l'usine à 14h.
    4. Puis il téléphonera à Londres à 16h.
    5. Ensuite il prendra rendez-vous avec Jacques.
    6. Et enfin le soir il achètera des billets de théâtre.

Ex. 2

Chers Mireille et Jacques,

Je vous remercie pour votre excellent déjeuner. J'ai trouvé votre appartement trés agréable. Hier, j'ai dîné chez les Sériex. J'ai fait la connaissance de Mme Sériex et de Mlle Sériex. Elles sont charmantes. Tout à l'heure je vais aller à l'usine de M. Sériex. Demain nous visiterons la foire de Paris. Je vous téléphonerai pour annoncer mon retour dès que j'aurai mon billet. Encore une fois merci pour votre hospitalité.
Amicalement

Victor

Recap

Picture 3.   La patronne regarde dans son registre.
                  Elle ne trouve pas le nom de Victor.
Picture 4.   Victor a réservé la chambre par téléphone hier matin de Paris.
Picture 7.   La patronne donne à Victor la chambre No 13.
Picture 9.   Demain elle donnera à Victor la chambre No 15.
Picture 11. Victor partira tôt demain matin.
Picture 13. Il prendra son petit déjeuner dans la salle à manger.

Ex. 3

A. Monsieur,

Je voudrais réserver une chambre avec un grand lit pour dix jours.

Nous resterous du 10 au 20 mai.

    Veuillez m'envoyer vos prix par retour du courrier. En vous remerciant à l'avance, veuillez agréer, cher Monsieur, mes salutations distinguées.

C. Monsieur,

Je vous remercie de votre lettre du 25 avril.

    Je voudrais réserver une chambre avec douche. Nous resterous du 8 au 18 mai.

    Je viens d'envoyer les arrhes pour la réservation par mandat carte. Avec mes remerciements, veuillez agréer, cher Monsieur, mes salutations distinguées.

Listening practice

A.
1. A quelle heure est le vol AF 703 à destination de Pékin?
2. A quelle heure est le vol AF 603 à destination de Rome?
3. A quelle heure est le vol BA 702 à destination de Londres?
4. A quelle heure est le vol BA 501 à destination de Manchester?

B.
1. C'est quelle porte, le vol AF 502 en provenance de Londres?
2. C'est quelle porte, le vol BA 403 en provenance de Manchester?
3. C'est quelle porte, le vol AF 310 en provenance de Bruxelles?
4. C'est quelle porte, le vol BA 604 en provenance de Genève?

Ex. 4 (du/de la/de l')

1. Je voudrais du lait.
2. Puis, je voudrais de la confiture.
3. Du vin.
4. Oui, je voudrais des croissants.
5. Du beurre.
6. Du café, s'il vous plaît.

Ex. 5 (le/la/les pronouns)

1. Oui, je la prends.
2. Oui, je le veux.
3. Oui, je les ai.
4. Oui, je l'ai.
5. Oui, je les achète.
6. Oui, je l'ai.

Reading practice

B. 1. b 2. c 3. c 4. c 5. c 6. c 7. c 8. c 9. c 10. b

Tapescript for Extra: Listening practice

1. Ici le Bureau d'Etudes et de Recherches. Vous êtes actuellement branché sur un répondeur automatique. Vous avez tout le temps nécessaire pour laisser votre message, votre nom et votre numéro de téléphone. A présent parlez.
2. Au troisième top, il sera exactement 20 heures, 10 minutes et 30 secondes.
3. Il n'y a pas d'abonné au numéro que vous avez demandé. Veuillez consulter l'annuaire.

Reading Practice

B. 1. c 2. b 3. b 4. c 5. a 6. c 7. c 8. c

C.

2 personnes @ 3,10F par jour		6,20
2 enfants @ 1,55F par jour		3,10
1 voiture @ 1,55F par jour		1,55
1 emplacement @ 2,55F par jour		2,55
Taxes de séjour @ 0,08F par pers. par jour		0,32
	Total	13,72

Total pour 10 jours

D.

2 enfants @ 0,95F par jour		1,90
2 adultes @ 1,90F par jour		3,80
1 emplacement (4 campeurs)		0,95
1 voiture		0,95
	Total	7,60
Total pour 5 jours		38,00F

Unit 8

Ex. 1 (ce/cette/ces)

1. Ce café est français.
2. Cette machine est allemande.
3. Cet avion est suisse.

4. Ces ouvriers sont épuisés.
5. Ce moteur est anglais.
6. Ces lettres sont exprès.

Ex. 2

Comme vous savez, il y a en ce moment une crise économique très grave à cause de l'inflation. Nous avons décidé de demander une augmentation de salaire de 15%. Hier je suis allé voir la direction, j'ai expliqué la situation. J'ai demandé une augmentation de salaire de 15%. La direction a rejeté notre demande. Elle a offert une augmentation de 5%. Nous avons rejeté leur offre. De plus nous sommes contre les licenciements à cause de la crise. Demain matin nous aurons une réunion syndicale pour prendre une décision. Je crois qu'une grève s'impose et que tous les ouvriers suivront l'ordre de grève.

Ex. 3 (perfect tense)

1. Hier, je suis allé au café.
2. Elle est allée au bureau.
3. Je suis allé au restaurant.

4. Il est allé à la poste.
5. Ils sont allés à l'école.
6. Il est allé à l'usine.

Ex. 4 (perfect tense)

1. Mais hier, je suis allée au bureau à 10h.
2. Mais hier, elles ont mangé à 2h.
3. Mais hier, il a bu du thé.

4. Mais hier, nous avons travaillé à la cuisine.
5. Mais hier, il est allé à l'usine à 9h.
6. Mais hier, j'ai acheté un billet.

Ex. 5 (perfect tense – negative)

1. Mais hier, je n'ai pas pris le métro à 8h.
2. Mais hier, je n'ai pas acheté le journal à 8h.30.
3. Mais hier, je n'ai pas travaillé dans mon bureau.
4. Mais hier, je n'ai pas mangé à la cantine à midi.
5. Mais hier, je n'ai pas visité les ateliers avec mon contremaître.
6. Mais hier, je n'ai pas pris de vin avec mon repas.
7. Mais hier, je n'ai pas bu de café après le repas.

Reading practice

B. There has been a strike at Renault for a week now. The three unions, CGT, CFDT and FO, spent all day yesterday having discussions with management. The workers are asking for a salary increase of 20% but they are also asking for better working conditions and participation for those working in the assembly shop. Above all they want an index-linked wage structure. According to the workers, management has often promised them this, though it's never come about.

Management thinks the workers' claims are unreasonable and after yesterday's events, the conflict between the unions and management has increased. The unions rejected management's offer of 10% and insist on the immediate need of an index-linked wage structure. Neither side is prepared to compromise. If the strike continues, it will dramatically affect production.

C. (Please refer to the information on the unions in Leçon 8 of the Student's Book.)

Reading practice

B. 1. a   2. c   3. b   4. b   5. c   6. b   7. b   8. c   9. b   10. c

C. 1. Un outil.
2. Le dirigeant.
3. Le vol d'affaires.
4. Annuel.
5. Jusqu'à.
6. Efficace.
7. La viabilité.
8. Le rayon d'action.
9. Le niveau de bruit.
10. Une antenne.
11. Le poste de pilotage.
12. Le rendement.
13. Le poids au décollage.
14. La charge utile.
15. La vitesse de croisière.
16. La piste.
17. La voie.
18. La formation.

D. The Hawker Siddeley 125 is a quick and efficient mode of transport for today's businessman. While retaining all the good qualities of previous versions, it has the additional advantages of being less noisy inside, of offering increased passenger cabin space, better conditions for the crew, and of being able to carry heavier loads and more fuel. Furthermore it can travel 1,700 miles without needing to refuel, flies well at low speed, can use short untarmacked runways and can take off from airports in hot climates and high altitudes.

In all conditions the high standard of security and regularity is retained. The HS 125 is at present being used throughout the world for business trips, aviation training, grading routes and as air taxis and ambulances.

Unit 9

Ex. 1

Hier j'ai visité la foire au vin. Nous sommes partis tôt parce qu'il y a 160 km jusqu'à Bordeaux. A cause des travaux, nous avons fait un détour de 30 km. Enfin, nous sommes arrivés à Bordeaux. M. Sériex a garé la voiture devant '*La Rotonde*'. Nous sommes allés au stand de dégustation gratuite. Nous avons goûté du St. Emilion, du Pomerol, de l'Entre-Deux-Mers. Des vins délicieux! J'ai été un peu saoûl. Les Sériex ont acheté une douzaine de St. Emilion, une douzaine de Pomerol et une demi-douzaine d'Entre-Deux-Mers et moi j'ai acheté une demi-douzaine de chaque.

Ex. 2

Veuillez vérifier:

– les pneus
– les freins
– l'huile
– les essiue-glaces ne marchent pas bien
– le radiateur et la batterie
Changez les bougies
Faites le plein d'essence
Passerai demain à 9h.

Merci

Ex. 3

1. Victor a téléphoné à sa femme hier soir.
2. Hier matin M. Sériex est allé en ville.
3. Le garagiste a vérifié la voiture de M. Sériex.
4. L'avion de midi est parti à 11h.45!
5. Soudain un agent de police a sifflé pour arrêter la circulation.
6. Hier, le courrier de l'après-midi est arrivé avant 16h.!
7. Victor a acheté une demi-douzaine de bouteilles de vin.
8. Les Sériex ont goûté plusieurs vins.
9. Hier, pour la première fois, Victor a mangé un cassoulet.
10. M. Sériex a garé sa voiture au parking.

Ex. 4

1. L'essuie-glace.
2. Le pare-brise.
3. Le capot.
4. La plaque d'immatriculation.
5. Le phare.
6. Le pare-chocs.
7. L'aile avant.
8. Le pneu.
9. La roue.
10. Le volant.
11. La portière.
12. L'aile arrière.
13. Le feu arrière.
14. Le coffre.
15. Le clignotant.
16. Le siège arrière.
17. Le siège avant.
18. Le rétroviseur.

Ex. 5 (en)

1. Non, je n'en ai plus.
2. Si, j'en ai encore.
3. Non, je n'en ai plus.
4. Si, j'en ai encore.
5. Non, je n'en ai plus.
6. Non, je n'en ai plus.
7. Si, j'en ai encore.
8. Non, je n'en ai plus.

Ex. 6 (le/la voilà)

1. Tenez, le voilà.
2. Tenez, la voilà.
3. Tiens, la voilà.
4. Tenez, la voilà.
5. Tiens, le voilà.
6. Tenez, la voilà.

Ex. 7 (venir de; en)

1. Non, merci, je viens d'en prendre.
2. Non, merci, je viens d'en goûter.
3. Non, merci, je viens d'en boire.
4. Non, merci, je viens d'en goûter.
5. Non, merci, je viens d'en prendre.

Listening practice

A. Hier M. Sériex, Mme. Sériex et Victor sont allés à la foire au vin à Bordeaux. Ils sont partis tôt parce qu'il y a environ 160 km jusqu'à Bordeaux. Soudain Mme. Sériex a crié: 'Attention, Joseph! Il y a un agent juste devant!' L'agent de police a sifflé. Il a arrêté la circulation. Mais pourquoi? 'Parce que les feux sont en panne comme d'habitude', a dit M. Sériex. Une autre surprise a bientôt attendu les Sériex et Victor. Eh, oui! Un détour sur 30 km à cause des travaux. Mais après deux heures environ, ils sont enfin arrivés à Bordeaux.

M. Sériex a garé la voiture dans une petite rue juste devant le café, 'La Rotonde'. Et tous se sont dirigés vers le stand de dégustation gratuite ou ils ont bu chacun un bon vin blanc, patiemment, en attendant l'heure du déjeuner.

B. 1. a 2. b 3. c 4. b 5. a 6. b 7. a 8. b

C. 1. La foire au vin.
2. Tôt.
3. Environ.
4. Attention!
5. La circulation.
6. Les feux.
7. En panne.
8. Les travaux.
9. Garer la voiture.
10. Tous.

Ex. 8

A. *What has not been done:*
Oil
Windscreen wipers
Change plugs
Fill up with petrol

What was done though not requested:
Petrol caps changed
Fan belt
Front bumper

B. 1. J'ai demandé au garagiste de changer les bougies.
2. Je lui ai aussi demandé de vérifier la pression des pneus et les essuie-glaces, enfin je lui ai demandé de faire le plein d'essence.
3. Mais à la place il m'a mis un nouveau bouchon du réservoir, il m'a changé le pneu avant droit et le pare-chocs avant et enfin il m'a mis une nouvelle courroie.

Unit 10

Ex. 1

1. J'espère qu'elle téléphonera ce soir.
2. Les pièces défectueuses, nous nous engageons à les réparer.
3. Je suis prêt à passer commande.
4. Nous représentons leurs interêts en France.
5. Quelles sont vos conditions?
6. Je suis monté à pied!
7. Nous nous engageons à vous livrer les moteurs.
8. Nos relations commerciales sont excellentes, sans parler de nos relations personnelles!
9. Nous sommes prêts à vous faire un rabais de 15%.
10. Mon séjour a été très intéressant.

Ex. 2

A. Hier j'ai téléphoné à Londres. J'ai parlé avec M. Ford. Nous avons discuté l'affaire. Il a proposé un rabais de 15%. Mais si vous commandez 16 moteurs.

B. Je suis content de votre lettre. Votre offre est très interessante. Est-ce que vous pourrez presser la livraison? Comment sera la livraison? Bientôt j'espère que nous fêterons le contrat dans un restaurant.

Listening practice

1. 10 Place de l'Etoile dans le 8ème. Téléphone 346-14-16.
2. 16 Rue Civiale dans le 10ème. Téléphone 201-12-16.
3. 60 Place d'Italie dans le 14ème. Téléphone 505-38-15.
4. Rue de Vaugirard dans le 6ème. Téléphone 348-13-38.
5. 33 Rue Cujas dans le 5ème. Téléphone 524-41-80.

Ex. 3 (pronouns)

1. Bien sûr, je le signerai.
2. Bien sûr, je les accepterai.
3. Bien sûr, je les considérerai.
4. Bien sûr, je la ferai.
5. Bien sûr, je les réparerai.

Reading practice

A. (ii) 1. b 2. b 3. b 4. b 5. b 6. b 7. a 8. b

(iii) 1. Le descriptif technique.
  2. Le document technique.
  3. Pour fourniture de ce qui suit.
  4. Seront conformes à . . .
  5. Détaillé par . . .
  6. Schémas.
  7. Poste.
  8. Ci-joint.

B. (ii) 1. a 2. c 3. b 4. c 5. b

(iii) 1. a. La demande. b. L'article. c. Le dépliant/le fascicule.
  2. a. Le remerciement. b. L'étude. c. La satisfaction.
  3. a. Spécifier. b. Informer. c. Exprimer.

Unit 11

Ex. 1

Je suis allé au pavillon allemand. J'ai pris des renseignements concernant prix, rabais et facilités de paiement. J'ai parlé avec nos concurrents. Puis je suis allé au pavillon japonais, j'ai pris des brochures, des catalogues, des fascicules etc . . . J'ai consulté leur prix, crédits et livraison. Nous devons faire attention à la concurrence japonaise.

Ex. 2

M. CHABRIER Bonjour Monsieur. Vous vous intéressez à nos machines, n'est-ce pas?

M. BLONDEL Bonjour. Oui, je m'intéresse beaucoup à vos machines.

M. CHABRIER Et vous vous intéressez à nos prix, je pense?

M. BLONDEL Oui, ça m'intéresse aussi.

M. CHABRIER Et nos facilités de paiement vous intéressent, n'est-ce pas?

M. BLONDEL Oui, elles m'intéressent aussi.

M. CHABRIER Et nos conditions d'achat, elles vous intéressent, n'est-ce pas?

M. BLONDEL Oui, elles m'intéressent aussi.

Ex. 3

1. La foire de Paris? Mais nous y allons tous les ans!
2. En France, on parle français, c'est évident!
3. Catherine? Elle travaille à la banque depuis déjà un an!
4. Nos exportations? Elles augmentent depuis notre entrée dans le Marché Commun.
5. Hier, je suis allé à la foire de Paris.
6. Vos facilités de paiement, je les accepte.
7. Giscard? Je ne le connais pas, mais je sais qui c'est, bien sûr!
8. Les lettres pour Filturbo? Oui, Monsieur le Directeur, je les ai écrites moi-même.
9. Des timbres? Oui, j'en ai.
10. Je peux passer? Vous serez chez vous demain soir?

Listening practice

Si nos produits vous intéressent, nous pouvons vous faire un rabais de 15% si vous payez immédiatement . . . Nos facilités de paiement? . . . Bien, Monsieur . . . Nos credits sont à long et moyen termes . . . Oui, c'est ça, six mois, neuf mois ou un an . . . La livraison? Nous la faisons toujours franco domicile . . . Le transport? Il est toujours par avion . . . C'est plus rapide . . . Quel est l'intérét sur six mois? . . . Il est peu élevé . . . à peine 7%! . . . Mais je vous en prie, Monsieur. Au revoir, Monsieur!

B. – Rabais de 15% si on paye immédiatement.
  – Crédits à long et moyen termes : six mois, neuf mois, un an.
  – Livraison franco domicile.
  – Transport par avion.
  – 7% d'intérêt sur six mois.

C. 1. Un produit.
  2. Un rabais.
  3. Facilités de paiement.
  4. Crédit à long terme.
  5. Crédit à moyen terme.
  6. La livraison.
  7. Franco domicile.
  8. Par avion.
  9. Un intérêt.
  10. Elevé/peu élevé.

Ex. 4 (en/y)

1. Oui, elle y est allée.
2. Oui, j'en ai assez.
3. Oui, j'en ai deux.
4. Oui, il y travaille.
5. Oui, elle y habite.
6. Oui, j'en ai.

Reading practice

Article 1
1. Because you don't have to pay a toll.
2. Autoroute A5.
3. Yes, because the tollmen are on strike.
4. The unions want the new salary structure to be implemented.

Article 2
1. The British economy is making a recovery.
2. The Chancellor of the Exchequer, Dennis Healey.
3. Inflation is being curbed, strikes are becoming less frequent, trade unionists accept the social contract and North Sea oil is starting to flow towards England.

Unit 12

Ex. 1 (agreement of past participle)

1. Voilà l'article que j'ai écrit.
2. Voilà la lettre que j'ai reçue.
3. Tiens, regarde l'affiche que j'ai achetée.
4. Regarde l'augmentation que j'ai accepté.
6. Oui, merci ce sont bien les dossiers que j'ai oubliés.

Ex. 2

1. Ils veulent continuer la grève si la direction ne cède pas.
2. Nous voulons 15% d'augmentation à cause du coût de la vie.
3. Si les ouvriers font les idiots, ils seront licenciés.
4. Les ouvriers sont forts parce qu'ils sont tous unis.
5. On ne peut pas faire marcher l'usine sans les cadres supérieurs.
6. L'occupation d'usine, ça ne leur suffit pas parce qu'ils veulent la grève active.
7. Les délégués syndicaux sont tous d'accord pour éviter la grève active.
8. Si le patron accepte nos revendications, nous arrêtons la grève.

Ex. 3 (lui/leur)

1. Il leur accorde 20% pour commencer.
2. Il leur accorde l'échelle mobile pour commencer.
3. Ils vont lui refuser l'entrée pour commencer.
4. Il va lui parler pour commencer.
5. Ils vont leur conseiller d'arrêter la grève pour commencer.
6. Il lui abandonne l'affaire pour commencer.

Ex. 4 (pendant)

1. Je l'ai attendue pendant une heure. Ça suffit!
2. J'ai travaillé pendant six heures. Ça suffit!
3. J'ai bu pendant cinq heures. Ça suffit!
4. J'ai lu pendant deux heures. Ça suffit!
5. J'ai étudié pendant quatre ans. Ça suffit!

Listening practice

A. De notre envoyé spécial à Toulouse:

L'occupation des usines Sériex à Toulouse en est maintenant à sa deuxiéme semaine. Le PDG des usines Sériex et Fils, M. Joseph Sériex, est arrivé précipitamment de Paris, ce matin. Il a dû interrompre une transaction importante avec la compagnie anglaise Filturbo. Les ouvriers demandent 16% d'augmentation de salaire, l'échelle mobile, de meilleures conditions de travail et pas de licenciements ni de travail à mi-temps. La grève a le soutien inconditionnel des syndicats CGT, CFDT et FO. Aux dernières nouvelles, il semble que certains syndiqués de la CFDT veulent passer à la grève active. Mais je pense que la CGT, qui est majoritaire dans l'usine, essaiera de les en dissuader. Il est sûr que la CGT et FO veulent avant tout une assurance de la part du patronat de ne pas licencier d'ouvriers et de leur accorder l'augmentation de 16%. Leur atout est le contrat imminent que M. Sériex va signer avec le Caire. Il est certain que si l'occupation continue, le contrat échappera aux usines Sériex. Cela ne serait ni dans l'intérêt des ouvriers, ni dans celui des employeurs. Notre prochain flash d'informations à 20h.

B.
 – Depuis déjà deux semaines.
 – Non, ils demandent 16% d'augmentation.
 – L'échelle mobile.
 – Non, ils ne veulent pas de licenciements ni de travail à mi-temps.
 – Non, il y a aussi la CFDT.
 – C'est le contrat avec le Caire.
 – Oui, c'est exact.
 – A 20h.

D. We're now in the second week of the occupation of the Sériex factory in Toulouse. The managing director, M. Sériex, has flown in from Paris this morning having had to cut short an important transaction with the British company, Filturbo. The workers are demanding a 16% salary increase, an index-linked wage structure, better working conditions, no redundancies or part-time work. They have the unconditional support of the three main unions, the CGT, CFDT and FO. We've just heard that some CFDT members want to have a work-in, that is, continue production under their own management, but apparently the CGT, the majority union in the factory, will try to dissuade them from this. What the CGT and FO want above all is assurance from the employers that there will be no redundancies and that they will get the 16% increase. Their trump card is the contract which Sériex is on the point of signing with Cairo. What seems certain is that if the occupation continues, the Sériex factories will have missed the boat, and that will be against everyone's interests.

E.
1. Un envoyé spécial.
2. Une augmentation de salaire.
3. Une échelle mobile.
4. Travail à mi-temps.
5. De meilleures conditions de travail.
6. Le soutien inconditionnel.
7. Les licenciements.
8. Un atout.
9. Un syndicaliste.
10. Le patronat.

Reading practice

I Bastille

1. Opéra	No 20
2. Tour Eiffel	No 69
3. Hôtel de Ville	No 69
4. Palais Royal	No 69

II République

1. Pont Neuf	No 75
2. Montmartre	No 56
3. Gare du Nord	No 54/65/56
4. Pigalle	No 54/56

III Quartier Latin

1. Grands Magasins	No 27/21/81
2. Opéra	No 27/21/81
3. Montmartre	No 85
4. Notre Dame	No 96/27

IV Quartier St. Germain

1. Grands Magasins	No 27
2. Opéra	No 81/27
3. Palais Royal	No 27
4. Palais du Luxembourg	No 27

V Champs Elysées

1. Montmartre	No 80
2. Opéra	No 42
3. Gare du Nord	No 42
4. Les Invalides	No 83

VI Opéra

1. République	No 20
2. Bastille	No 20
3. Tour Eiffel	No 42
4. Quartier Latin	No 21/27/81

Tapescript for Extra: Listening practice

Le Message
La porte que quelqu'un a ouverte
La porte que quelqu'un a refermée
La chaise où quelqu'un s'est assis
Le chat que quelqu'un a caressé
Le fruit que quelqu'un a mordu
La lettre que quelqu'un a lue
La chaise que quelqu'un a renversée
La porte que quelqu'un a ouverte
La route où quelqu'un court encore
Le bois que quelqu'un traverse
La rivière où quelqu'un se jette
L'hôpital où quelqu'un est mort.
JACQUES PREVERT

Ex. 5 (La Carte Orange)

A. 1. c   2. b   3. c

B. 1. 80F   2. 200F   3. 120F   4. 40F   5. 60F

Unit 13

Ex. 1

1. Ils sont prêts à faire grève indéfiniment s'ils n'obtiennent pas gain de cause.
2. La crise économique se traduit par des fermetures d'usines.
3. L'inflation ne cesse de croître quand il y a une crise économique.
4. Les syndicats soutiennent les ouvriers parce qu'ils sont en grève.
5. La direction accorde aux grévistes leurs revendications pour arrêter la grève.
6. Les syndiqués accepteront les propositions du patronat si elles sont raisonnables.

Ex. 2

1. Il a pris ses clefs avec lui ce matin.
2. Vous avez vu sa femme hier soir au théâtre, n'est-ce pas?
3. Elle a consulté son plan, mais elle est quand même descendue à la mauvaise station.
4. Ils veulent continuer la grève indéfiniment.
5. Il paraît que tous les ouvriers ont accepté l'ordre de grève.
6. Elle a certainement laissé ses dossiers dans sa voiture.

Ex. 3 (agreement of past participle)

1. Oui, je suis sûr que je les ai prises avec moi.
2. Oui, je suis sûr que je les ai mises dans ma poche.
3. Oui, je suis certain que je l'ai vu dans mon bureau.
4. Oui, je suis certain que je l'ai pris avec moi.
5. Oui, je suis sûr que je l'ai mis dans ma serviette.
6. Oui, je suis certain que je les ai prises avec moi.

Reading practice

B. Renault on strike
The workers are in protest about one of their number being made redundant.

Oil slick
Vegetable, animal and mineral pollution. The Bretons continue to clean their beaches. Help is coming from all over France.

Quintuplets!
3 girls and 2 boys.
Weight: between 500 g and 1.5 kg.
Father and mother delighted.

Paris in August
Temperature: highest temperature on record.
Traffic: highest number of accidents recorded.
Tourism: record number of tourists.

Nuclear disarmament
Another summit meeting.
U.S.A. and U.S.S.R.
Is there a possibility of stopping the competition in nuclear weapons?

Listening practice

A. Camarades! Nos revendications sont justes et raisonnables! Que demandons-nous? Le minimum! 15% d'augmentation de salaire. Ce n'est pas énorme! . . . Les patrons pensent

que la crise économique, ça touche seulement les patrons! . . . J'aimerais bien moi! . . .
Malheureusement, ça touche tout le monde! Et nous plus que les patrons! . . . Alors, finis les
compromis! Nous voulons l'échelle mobile des salaires pour commencer, le 13ème mois,
la sécurité de l'emploi et du travail pour tous! Enfin nous voulons la participation! . . .
Nous sommes prêts à faire grève . . . indéfiniment s'il le faut! . . . Camarades, il faut agir, et
agir vite! Les promesses, on n'en veut plus! Nous sommes prêts à occuper l'usine, s'il le faut!
Nous sommes prêts à passer à la grève active, s'il le faut!

– Ils demandent 15% d'augmentation de salaire.
– La crise économique touche tout le monde.
– Finis les compromis!
– Ils veulent: l'échelle mobile, le 13ème mois, la sécurité de l'emploi et du travail pour tous.
– Ils veulent aussi la participation.
– Ils sont prêts à faire grève indéfiniment.
– Ils sont prêts à occuper l'usine.
– Ils sont prêts à passer à la grève active.

C. 1. Les revendications.
2. Une augmentation de salaire.
3. Les patrons.
4. Ça affecte tout le monde.
5. Finis les compromis!
6. Le 13ème mois.
7. La sécurité de l'emploi.
8. Faire grève.
9. S'il le faut.
10. La participation.

Ex. 4

M. Melville was welcomed and introductions made, and as there were no matters arising from
the previous meeting, we went straight to the object of the meeting, namely the co-operation
between the Sériex and Filturbo companies. M. Sériex told M. Melville about his sales agreement
with the Egyptian Air Force in Cairo which was possible because of the technical superiority of
his machines as well as the precision of his delivery dates. He remarked that if Filturbo were
interested in a co-operative effort, then in turn it must give accurate dates. M. Melville said he
could assure him of regular deliveries. Here M. Duvent asked him to specify exactly what he
meant by this. M. Malo then intervened to remind M. Melville that the contract would be
renewable after two years. M. Melville said that although he could assure the Sériex company of
Filturbo's interest in their proposition, he himself was not in a position to make any promises.
He would however report back to Filturbo on all these comments. M. Lefort then questioned
M. Melville about relations between the union and management at Filturbo. M. Melville
answered this positively by referring to the recent salary agreements. As there was no A.O.B.,
M. Sériex declared the meeting to be over.

Unit 14

Ex. 1

A. 1. Le vin blanc sec ou le vin rouge léger est très bon avec la volaille.
2. Par contre, avec la viande rouge le vin rouge est recommandé.
3. Un pousse-café fort est excellent après un bon repas.
4. Il veut un pâté pour commencer.

B. 1. On doit toujours prendre son chateaubriand bien saignant.
2. On peut réserver une chambre à l'avance.
3. On conseille de boire du Bordeaux avec le rôti de boeuf.
4. En France, on finit souvent un repas avec du cognac.

Listening practice

. – Que me conseillez-vous avec la volaille, du blanc?
   – Prenez un vin rouge léger, c'est aussi bon!

– Et vous, que prendrez-vous?

– Moi, j'adore la viande de boeuf! Je vais prendre un chateaubriand . . . Mais à propos, que prendrez-vous pour commencer?

– Des cuisses de grenouilles, j'adore ça!

– Mm! C'était délicieux!

– Un café et un digestif?

– J'aimerais un peu de fromage.

– Du fromage après le dessert!

– Oh, c'est vrai qu'en France vous le prenez toujours avant.

– Eh, oui, c'est une habitude! Tout comme nous buvons du vin à tous les repas et nous préférons la viande saignante!

– Je dois dire que j'aime bien la cuisine française.

– Mais, j'espère bien! C'est une des meilleures du monde!!

B. 1. vrai   2. faux   3. faux   4. vrai   15. faux   16. vrai   17. vrai

C. 1. Après.   2. Jamais.   3. Vin doux.   4. Viande saignante.   5. Lourd.   6. Pire.

Ex. 2 (lui/leur + word order)

A. 1. Je lui ai recommandé des escargots.
2. Ensuite, je lui ai recommandé du canard.
3. Puis, je lui ai conseillé du fromage.
4. Et ensuite, je lui ai conseillé une tarte.
5. Pour finir, je lui ai offert du cognac.
6. Et enfin, je lui ai offert du café.

B. 1. Je leur ai offert du pâté.
2. Je leur ai donné du canard.
3. Il leur a recommandé du fromage.
4. Elle leur a préparé une tarte.
5. Je leur ai offert du cognac.
6. Elle leur a offert du café.

Ex. 3 (lui/leur + word order)

1. Bien sûr, je les lui ai recommandés.
2. Bien sûr, je les leur ai offerts.
3. Bien sûr, je le lui ai conseillé.
4. Bien sûr, je la lui ai conseillée.

5. Bien sûr, je leur en ai donnés deux.
6. Bien sûr, il les leur a recommandés.
7. Bien sûr, je lui en ai offert.

Reading practice

B. 1. Le Bagdad
Chez Bébert
Cléopâtre

2. Brasserie Lorraine
La Champagne
Charlot
Charlot ler
La Coupole
Le Curveur
Garnier
Grill Drouant
Grand Pavillon – L'Ecailler de Rungis
Gus

3. L'Alsace aux Halles
La Bûcherie
El Mariachi
Gus

4. FLO
Gus

5. L'Alsace aux Halles
L'Auberge de Riquewihr
La Chope d'Alsace
Chez Hansi

6. La Mamma

7. Drugstore Opéra

Ex. 4 (hobbies)

B. 1. L'alpinisme.
2. La pétanque.
3. Le ping-pong.
4. Le bricolage.
5. La cuisine.

6. Le football.
7. La couture, le tricot, le crochet.
8. Le cinéma.
9. La télévision.

Unit 15

Ex. 1

1. Autrefois il mangeait souvent '*Chez Jules*', mais maintenant il n'y mange plus.
2. Hier elle est sortie avec Pierre, mais ce soir elle sort avec Paul.
3. Demain je téléphonerai à Londres, mais maintenant je téléphone à New York.
4. Maintenant je prends du pernod et plus tard je prendrai du whisky.
5. Quand j'étais plus jeune, je sortais souvent le soir, mais maintenant je ne sors plus.
6. La semaine dernière, il est allé à la foire de Paris, la semaine prochaine il ira à la foire au
   . vin à Bordeaux.
7. Hier j'ai dormi tard, mais ce soir je vais dormir tôt pour me lever tôt demain matin.
8. Ce soir ils iront au restaurant pour fêter le contrat, car demain ils iront à la soirée chez les
   Saville.
9. Autrefois elle aimait se promener seule au Luxembourg, mais maintenant elle n'aime plus ça.
10. Maintenant je travaille à Air France, mais autrefois je travaillais à la SNCF.

Ex. 2 (imperfect tense)

Il se levait à 9h.
Il allait à l'Université.
Il suivait des cours.
Il buvait au café '*La Sorbonne*'.
Il jouait au billard.
Il se promenait dans les Jardins du Luxembourg.
Il rentrait chez lui à 20h.
Il mangeait un sandwich ou bien il mangeait au restaurant universitaire.
Il écoutait la radio et des disques.
Il lisait le journal.

Ex. 3

1. J'irais au théâtre si j'avais des billets.
2. Il irait au restaurant le plus cher s'il avait de l'argent.
3. Elle ne travaillerait plus si elle avait le choix.
4. Il voyagerait partout s'il n'était pas marié.
5. Nous boirions tout le vin si nous le pouvions.
6. Je serais heureuse si je ne travaillais pas tous les jours.
7. Elles ne seraient pas mariées si elles avaient un bon métier.
8. Elle irait à Nice si elle avait des vacances.
9. Vous ne travailleriez plus si vous étiez riche.
0. Elle resterait chez elle si elle était malade.

Ex. 4

.. Hier soir, Victor est allé chez les Saville. Il a trouvé un buffet magnifique. Il a mangé
du saumon, du caviar, des canapés. Il a bu un champagne excellent. Il a bavardé avec
beaucoup de personnes, notamment M. Saville et Jacques. A la soirée il a fait la connaissance
de Mme Saville. Il est parti tard de chez les Saville. Bien après 2h. du matin. Alors, il a dû
prendre un taxi pour rentrer à son hôtel. Quand il y est arrivé, il était 3h. du matin.

B. 1. Hier soir, je suis allé chez les Saville.
2. Il était magnifique.
3. J'ai mangé du saumon, du caviar et des canapés.
4. J'ai bu du champagne.
5. Il était excellent!
6. J'ai bavardé avec beaucoup de personnes, notamment M. Saville et Jacques.
7. Non, j'ai fait la connaissance de Mme Saville à la soirée.
8. Je suis parti bien après 12h. du matin.
9. Non, j'ai dû prendre un taxi.
10. Il était 3h. du matin quand je suis arrivé à mon hôtel.

Ex. 5 (conditional tense)

1. Je voyagerais en Europe.
2. J'achèterais un bateau.
3. J'habiterais à Paris.
4. Je sortirais avec Mlle Lebret.
5. Je mangerais de l'ail à tous les repas.
6. Je boirais du champagne à tous les repas.
7. Je travaillerais très peu.
8. Je serais Premier Ministre.

Listening practice

A. EMPLOYÉE   C'est pour changer de l'argent?
VICTOR   Non, c'est pour tirer un chèque.
EMPLOYÉE   Oui.
VICTOR   C'est possible de tirer un chèque sur une banque anglaise?
EMPLOYÉE   Vous avez une carte?
VICTOR   Oui, la voilà.
EMPLOYÉE   Eh bien, pas de problèmes, c'est parfait.
VICTOR   Vous voulez mon passeport?
EMPLOYÉE   Non, c'est inutile. Et voilà, passez à la caisse, s'il vous plait.
VICTOR   Merci bien, Mademoiselle.

B. C'est pour tirer un chèque.
C'est possible de tirer un chèque sur une banque anglaise?
Oui, la voilà.
Vous voulez mon passeport?
Merci bien, Mademoiselle.

C. 1. Changer de l'argent.   4. C'est possible de.
2. Tirer un chèque.   5. Une carte.
3. La caisse.   6. C'est inutile.

Reading practice

1. b 2. b 3. c 4. b 5. a

Reading practice

1. a. Woody Allen.   b. It's in English.   c. At the Studio Cujas in the 5e arrondissement.
2. a. Emmanuelle 2.   b. No, you have to be over 18.   c. In Hong Kong.   d. In 1975.
3. a. Le Témoin (The Witness).   b. In the 8e arrondissement.   c. It's a detective film.
   d. It's a joint Franco-Italian production.

Unit 16

Ex. 1

Cher Philippe,

Merci encore pour tout ce que vous avez fait pour moi. Je n'oublierai jamais ni votre accueil, ni votre hospitalité.
J'ai gardé un souvenir inoubliable de tout ce que j'ai visité avec vous et votre charmante femme.
Merci encore pour votre aide et coopération en matières commerciales et techniques.
J'espère que vous viendrez à Londres très bientôt avec votre femme. Je serai très heureux de vous rendre la pareille.
J'ai beaucoup aimé les escargots que votre femme a cuisinés.
Remerciez votre femme de ma part pour sa gentillesse à mon égard.
Cher Philippe, à très bientôt j'espère.

Amicalement

Michael

Ex. 2

Arriverai mercredi 18 janvier Roissy à 9h.10 vol BA 031.

Ex. 3

JACQUES   (jouet, avion, clef, queue, usine, eau, secrétaire)
RA   (Italie, rue, argent)
A   (agent)
LONDRES   (lettre, Orly, nez, douche, rose, école, Sériex)
N   (Espagne, noir)
IAI   (maison, Angleterre, île)

Listening practice

A. 115F – 20h.40 – Le 033-12-21 – 44F – Le 703-67-76 – 12h.15 – Le 88-34-64 –
   96F – 9h.25 – Le 405-07-00 – 60F – Le 272-93-16 – 0h.03 – Le 12-10-15 –

B. 1. Allo, oui? Oui, ce sont les renseignements . . . Oui, il y a un train qui part pour Toulouse demain matin. Vers, 10h? . . . Oui, il y a le 9h.52, c'est un rapide . . . Vous arrivez à Toulouse a 17h.28. Vous avez aussi le 10h.04, c'est un express, celui-la . . . Vous arrivez a Toulouse a 17h.03. Ah, oui, c'est plus rapide . . . Le prix? 1ère classe . . . 200F aller-retour et 165F en seconde. Aller-simple? Oui . . . en 1ère ou en seconde? Les deux? Bon, alors . . . 190F en 1ère et 135F en seconde. Voilà . . . Je vous en prie, au revoir, Monsieur.

   2. Allo, oui, j'ecoute . . . Non Madame, nous n'avons plus de chambre avec salle de bains. Oui, nous avons encore des chambres avec douche. Alors, une chambre pour 2 personnes avec douche . . . 63F par jour. C'est trop cher? Ah, mais c'est le prix Madame! Quelque chose de moins cher? Prenez une chambre sans douche! Le prix? 35F par jour, 47F avec le petit déjeuner pour deux. Pension complète 100F et demi-pension 70F. Ça va? A propos, à quelle date arrivez-vous? Le 12 avril? Ah, non. Je ne peux pas vous recevoir avant le 16 avril! Ca va? Bon. Combien de temps comptez-vous rester? Une dizaine de jours? Ah, non. Moi, je ne peux pas vous garder plus de 8 jours! La chambre doit etre libre le 23 au matin . . . Ca ne va pas? Je regrette, Madame, au revoir Madame.

3. Allo, ici la Cie Aviafrance . . . Mlle Lebrun? Je regrette Monsieur nous n'avons pas de Mlle Lebrun ici . . . Vous voulez dire Mme Lebrun . . . Je regrette, mais Mme Lebrun ne travaille plus ici . . . Si, bien sûr elle travaille toujours pour nous, mais nous avons maintenant d'autres bureaux a Neuilly . . . Neuilly, oui . . . N comme Nicolas, E comme Eugène, U comme Ursule, I comme Irène, 2 L comme . . . oui, c'est ca comme Lebrun et Y comme Yvonne. Alors l'adresse c'est 93 Bld de Rueil . . . Rueil comme Rueil Malmaison. Quoi? Ah, vous ne connaissez pas. Bon, j'épelle . . . R comme Raoul, U comme Ursule, E comme Eugène, I comme Irma et L comme . . . oui, comme Lebrun. . . . Téléphone 948-12-15 ou 948-23-93 ou 948-11-75, poste 4381. Voilà. . . . Si je suis libre ce soir? . . . Ah, non, le mardi soir, c'est ma classe de judo . . . oui, judo. Ce n'est pas la peine que j'épelle, vous comprenez? . . . Au revoir, Monsieur!

1. 9h.02 rapide pour Toulouse.   Arrivée: 5h.28
   10h.00 express pour Toulouse.   Arrivée: 5h.03
   1ème classe: 200F aller-retour
   2ème classe: 165F aller-retour
   1ème classe: 190F aller simple
   2ème classe: 135F aller simple

2. Chambres pour deux avec douche: 63F par jour
   Chambres pour deux sans douche: 35F par jour
   47F avec petit déjeuner pour deux.
   Pension complète: 100F
   Demi-pension: 70F
   Libre du 16 avril au 23 avril

3. Mme Lebrun travaille à Neuilly.
   93 Boulevard de Rueil
   Téléphone: 948-12-15
              948-23-93
              948-11-75   poste 4381

C. 1. Un aller-retour.
2. Un aller simple.
3. Un billet de 1ème classe.
4. Un billet de 2ème classe.
   (de seconde).
5. Les deux.
6. Une chambre avec douche.
7. Par jour.
8. Quelque chose de moins cher.
9. Pension complète.
10. Environ dix jours/ une dizaine de jours.
11. Epeler.
12. Poste.